Gunta

maza **LATVIEŠU –
ANGĻU**
saruņvārdnīca

LATVIAN – ENGLISH
Phrase Book

ZVAIGZNE ABC

811.111 (038)
Št 740

Gunta Štrauhmane, Zigrīda Vinčela
MAZĀ LATVIEŠU-ANGĻU SARUNVĀRDNĪCA

Redaktore *Marija Freiberga*

Apgāds Zvaigzne ABC, SIA, K. Valdemāra ielā 6, Rīgā, LV-1010.
Red. nr. V-133.
A/s "Poligrāfists", K. Valdemāra ielā 6, Rīgā, LV-1010.

ISBN 9984-22-460-0

SATURS
CONTENTS

6

VĀRDNĪCAS LIETOTĀJIEM

Mazā latviešu-angļu sarunvārdnīca domāta visiem, kas vēlas pilnveidot savas angļu valodas zināšanas un sarunvalodas prasmi. Tā noderēs gan ārzemju ceļojumā, gan saskarsmē ar cilvēkiem, kas ieradušies mūsu valstī, gan arī kā mācību palīglīdzeklis.

Sarunvārdnīcas 30 tematiskajās nodaļās apkopoti ikdienā biežāk lietojamie vārdi un frāzes, kā arī sniegta informācija un noderīgi padomi, lai pārvarētu iespējamās grūtības ārzemju ceļojuma laikā.

Skaitļavārdu, palīgvārdu un mērvienību tulkojums atrodams pielikumā.

Katrā nodaļā ir doti vārdi alfabēta kārtībā un to izrunas atveidojums. Vārdnīcā iekļautas angļu valodas skaņu atveidojuma zīmes, angļu valodas un latviešu valodas skaņu salīdzinājums un norādes par uzsvaru lietošanu: ar apostrofu vārda augšā norādīts galvenais vai primārais uzsvars, bet ar apostrofu vārda apakšā – sekundārais uzsvars, piemēram, [ˌsuːvəˈnɪə].

Veidojot vārdnīcu, ņemtas vērā abu valodu nianses un sociokultūras atšķirības, tāpēc frāzes un teikumi nav tulkoti burtiski, bet gan atbilstoši to lietojumam angļu valodā reālās dzīves situācijās.

Labu veiksmi!

ANGĻU ALFABĒTS
ENGLISH ALPHABET

Burti un to nosaukums	Burtu apzīmētās skaņas	Piemēri
A a [eɪ]	[eɪ], [æ]	late [leɪt], bag [bæg]
B b [biː]	[b]	big [bɪg]
C c [siː]	[s] – pirms *e, i, y*	centre ['sentə], city ['sɪtɪ], cycle [saɪkl]
	[k] – pārējos gadījumos	cat [kæt], cool [kuːl]
D d [diː]	[d]	dog [dɒg]
E e [iː]	[iː], [e]	Peter ['piːtə], bed [bed]
F f [ef]	[f]	fact [fækt]
G g [dʒiː]	[dʒ], [g]	gin [dʒɪn], get [get]
H h [eɪtʃ]	[h]	home [həʊm]
I i [aɪ]	[aɪ], [ɪ]	line [laɪn], sit [sɪt]
J j [dʒeɪ]	[dʒ]	job [dʒɒb]
K k [keɪ]	[k]	key [kiː]
L l [el]	[l]	let [let]
M m [em]	[m]	map [mæp]
N n [en]	[n]	name [neɪm]
O o [ɔʊ]	[əʊ], [ɒ]	old [əʊld], top [tɒp]
P p [piː]	[p]	park [pɑːk]
Q q [kjuː]	[kw]	quality ['kwɒlɪtɪ]
R r [ɑː]	[r]	red [red]
S s [es]	[s]	see [siː]
T t [tiː]	[t]	ten [ten]
U u [juː]	[juː], [ʌ], [ʊ]	tube [tjuːb], nut [nʌt], put [pʊt]
V v [viː]	[v]	video ['vɪdɪəʊ]
W w ['dʌbljuː]	[w]	water ['wɔːtə]
X x [eks]	[ks], [gz]	box [bɒks], exhibit [ɪg'zɪbɪt]
Y y [waɪ]	[j], [ɪ], [aɪ]	yes [jes], city ['sɪtɪ], cycle [saɪkl]
Z z [zed]	[z]	zoo [zuː]

SKAŅU ATVEIDOJUMA ZĪMES

Skaņu atveidojuma zīmes	Piemēri angļu valodā	Piemēri latviešu valodā
Patskaņi		
iː	meet [miːt]	Rīga
ɪ	sit [sɪt]	rit
e	ten [ten]	ezis
æ	bag [bæg]	veca
ɑː	car [kɑː]	māja
ʌ	fun [fʌn]	lapa
ɔː	call [kɔːl]	konuss
ɒ	top [tɒp]	bokss
uː	cool [kuːl]	nūja
ʊ	put [pʊt]	tu
3ː	girl [gɜːl]	*Latviešu valodā nav šādas skaņas. Izrunā kā [ē], piem., kā vārdā 'svērt', bet mute jā-atver platāk.*
ə	ago [əˈgəʊ], dinner [ˈdɪnə]	*Latviešu valodā nav šādas skaņas. Izrunā kā [e] neuz-svērtā zilbē, piem., kā vārdā 'meitene'.*
Divskaņi		
eɪ	play [pleɪ]	meita
aɪ	fine [faɪn]	laime
ɔɪ	boy [bɔɪ]	Rojs
aʊ	loud [laʊd]	auzas
əʊ	boat [bəʊt]	boulings
ɪə	here [hɪə]	tievs
ʊə	poor [pʊə] ⎫	*Latviešu valodā nav šādu*
eə	there [ðeə] ⎭	*divskaņu.*

Līdzskaņi		
p	pen [pen]	**p**ase
b	bad [bæd]	**b**ērzs
t	tea [tiː]	**t**ēja
d	dog [dɒg]	**d**aba
k	cat [kæt]	**k**as
g	good [gʊd]	**g**aiss
tʃ	chip [tʃɪp]	**č**eks
dʒ	gin [dʒɪn]	**dž**ungļi
f	fun [fʌn]	**f**oto
v	vet [vet]	**v**āze
θ	think [θɪŋk] ⎫	*Latviešu valodā nav šādu*
ð	this [ðɪs] ⎭	*skaņu. Tās izrunājot, mēles gals jāvirza starp zobiem, to nepiespiežot tiem, un izrunājot* [s], *veidosies* [θ], *bet izrunājot* [z], *veidosies* [ð].
s	sit [sɪt]	**s**als
z	zoo [zuː]	**z**ils
ʃ	shop [ʃɒp]	**š**is
ʒ	measure ['meʒə]	**ž**ogs
h	hen [hen]	**h**okejs
m	man [mæn]	**m**azs
n	no [nəʊ]	**n**ē
ŋ	king [kɪŋ]	kun**g**s
l	let [let]	**l**aiva
r	rose [rəʊz]	**r**oze
w	wet [wet]	*Latviešu valodā nav šādas skaņas. To izrunājot, stiepj lūpas uz priekšu kā izrunājot* [ʊ], *un tad strauji atvelk lūpu kaktiņus.*
j	yes [jes]	**j**auns

NEPIECIEŠAMĀKIE VĀRDI UN FRĀZES
KEY WORDS AND PHRASES

1

PLĪZ

lūdzu
please
[pli:z]

SENKJŪ

paldies
thank you
['θæŋkjʊ]

helou

labdien
hello
[hə'ləʊ]

GUDBAI

sveiki/uz redzēšanos
goodbye
[ˌgʊd 'baɪ]

jā *jes*
yes
[jes]

nē *nou*
no
[nəʊ]

šis *dis*
this
[ðɪs]

tas *det*
that
[ðæt]

šeit *hie*
here
[hɪə]

tur *dēr*
there
[ðeə]

Mans vārds ir...
My name is...
[maɪ 'neɪm ɪz]

Es esmu no Latvijas.
I am from Latvia.
[aɪ əm frəm 'lætvɪə]

Atvainojiet!/Piedodiet!
Excuse me./Sorry.
[ɪk'skju:z mɪ/'sɒrɪ]

Labi.
OK./All right.
[ˌəʊ'keɪ/ɔːl 'raɪt]

Nekas./Viss kārtībā.
That's OK.
['ðæts ˌəʊ'keɪ]

Lūdzu, ņemiet!
Here you are.
['hɪə jʊ 'ɑː]

Lūdzu, ienāciet!
Please come in.
['pli:z kʌm 'ɪn]

Lūdzu, palīdziet man!
Can you help me, please?
[kən jʊ 'help mɪ 'pli:z]

Lūdzu runājiet lēni!
Speak slowly, please.
['spi:k 'sləʊlɪ 'pli:z]

Es visu nesaprotu.
I can't follow.
[aɪ kɑːnt 'fɒləʊ]

Lūdzu, atkārtojiet!
Say it again, please.
['seɪ ɪt ə'gen 'pli:z]

(*Please* parasti lieto teikuma sākumā, izsakot uzaicinājumu, bet teikuma beigās, izsakot lūgumu. Ja vēlaties palūgt kādu lietu, piem., veikalā, nosauciet šo lietu, piebilstot *please*.)

Lūdzu, vienu pudeli minerālūdens!
A bottle of mineral water, please.
[ə'bɒtl əv 'mɪnərəl 'wɔːtə 'pli:z]

Lūdzu, dodiet man šo!
This one, please.
['ðɪs wʌn 'pli:z]

Lūdzu, to!
That one, please.
['ðæt wʌn 'pli:z]

Lūdzu, vienu no šiem/tiem apelsīniem!
One of these/those oranges, please.
['wʌn əv ði:z/ðəʊz 'ɒrɪndʒɪz 'pli:z]

Lūdzu, divas kafijas!
Two coffees, please.
['tu: 'kɒfɪz 'pli:z]

Cik tas/tā maksā?
How much is it?
[ˌhaʊ 'mʌtʃ ɪz ɪt]

Cik tie/tās maksā?
How much are they?
[ˌhaʊ 'mʌtʃ ɑː ðeɪ]

Tasīti tējas/kafijas?
A cup of tea/coffee?
[ə'kʌp əv 'ti:/'kɒfɪ]

Jā, lūdzu.
Yes, please.
['jes 'pli:z]

Nē, paldies.
No, thank you.
['nəʊ 'θæŋkjʊ]

Es nesaprotu.
I don't understand.
[aɪ dəʊnt ˌʌndə'stænd]

Lūdzu, runājiet lēnāk.
Please speak more slowly.
['pliːz 'spiːk mɔː 'sləʊlɪ]

Lūdzu, uzrakstiet man to.
Please write it down for me.
['pliːz 'raɪt ɪt 'daʊn fə mɪ]

Atvainojiet, vai jūs varētu pateikt...
Excuse me, could you tell me...
[ɪk'skjuːz mɪ kʊd jʊ 'tel mɪ]

Atvainojiet, vai es varētu tikt garām?
Excuse me, could I get past?
[ɪk'skjuːz mɪ kʊd aɪ 'get 'pɑːst]

Piedodiet, ka nokavēju.
Sorry, I'm late.
['sɒrɪ aɪm 'leɪt]

Tas nekas.
That's quite all right.
['ðæts kwaɪt ˌɔːl 'raɪt]

Es ļoti atvainojos.
I'm extremely sorry.
[aɪm ik'striːmlɪ 'sɒrɪ]
I *am* sorry (*uzsverot am*)
[aɪ 'æm 'sɒrɪ]

Man neienāca prātā.
I didn't realize.
[aɪ dɪdnt 'rɪəlaɪz]

(Excuse me lieto, pirms jūs traucējat kādu, piem., lai paietu garām vai lai pievērstu sev kāda cilvēka uzmanību, ja jūs nezināt šī cilvēka vārdu. Sorry lieto, lai atvainotos par to, kas jau ir izdarīts, pēc notikuma.)

Kā, lūdzu?
Pardon? Sorry? *(jāizrunā ar kāpjošu intonāciju)*
['pɑːdn 'sɒrɪ]

Atvainojiet, vai jūs, lūdzu, varētu samainīt vienu mārciņu?
Excuse me, could you change a pound, please?
[ɪk'skju:z mɪ kʊd jʊ 'tʃeɪndʒ ə'paʊnd 'pli:z]

Diemžēl nē.
I'm afraid not. (*I'm afraid* parasti lieto, atbildot noliedzoši uz lūgumu.)
[aɪm ə'freɪd 'nɒt]

Man vajag...	**Es meklēju...**
I need...	I'm looking for...
[aɪ 'ni:d]	[aɪm 'lʊkɪŋ fə]

Man vajadzīga palīdzība/kvīts.
I need help/a receipt.
[aɪ 'ni:d 'help/ə'rɪsi:t]

Es meklēju biļešu kasi.
I'm looking for a ticket office.
[aɪm 'lʊkɪŋ fə ə 'tɪkɪt ˌɒfɪs]

Vai šeit tuvumā ir...?
Is there / Are there ... near here?
['ɪz ðeə/'ɑ: ðeə... nɪə hɪə]

Vai šeit tuvumā ir banka/aptieka/pasts?
Is there a bank/a chemist/a post office near here?
['ɪz ðeə ə'bæŋk/ə'kemɪst/ə'pəʊst ˌɒfɪs nɪə hɪə]

Vai šeit tuvumā ir kādi labi grāmatu veikali?
Are there any good book-shops near here?
['ɑ: ðeə ənɪ 'gʊd 'bʊkʃɒps nɪə hɪə]

Vai jums ir...?
Do you have...?
[djʊ həv...]

Vai jums ir pastkartes/pastmarkas/pilsētas karte?
Do you have postcards/stamps /a city map?
[djʊ həv 'pəʊstkɑːdz/'stæmps/ə'sɪtɪ 'mæp]

Es gribētu...
I'd like...
[aɪd laɪk]

Vai es varu...?
Can I...?
[kən aɪ]

Es gribētu nosūtīt faksu.
I'd like to send a fax.
[aɪd laɪk tə 'send ə'fæks]

Vai es varu/drīkstu piezvanīt?
Can/May I phone?
[kən/meɪ aɪ 'fəʊn]

Cik tas/tā maksā?
How much is it?
[ˌhaʊ 'mʌtʃ ɪz ɪt]

Cik tie/tās maksā?
How much are they?
[ˌhaʊ 'mʌtʃ ɑː ðeɪ]

Kur?
Where?
[weə]

Kā?
How?
[haʊ]

Kur ir autoosta?
Where's the bus station?
['weəz ðə 'bʌs ˌsteɪʃn]

Kā es tur varu nokļūt?
How can I get there?
['haʊ kən aɪ 'get ðeə]

Kur ir tualetes?
Where are the toilets?
['weər ɑː ðə 'tɔɪlɪts]

Kur es varu...?
Where can I...?
['weə kən aɪ]

Kur es varu nopirkt biļeti/telefonkarti?
Where can I buy a ticket/a phone card?
['weə kən aɪ 'baɪ ə'tɪkɪt/ə'fəʊn kɑːd]

Kad to atver?
When does it open?
['wen dʌz ɪt 'əʊpən]

Kad to slēdz?
When does it close?
['wen dʌz ɪt 'kləʊz]

To atver desmitos.
It opens at ten.
[ɪt 'əʊpənz ət 'ten]

To slēdz piecos.
It closes at five.
[ɪt 'kləʊzɪz ət 'faɪv]

IZKĀRTNES UN UZRAKSTI
SIGNS AND NOTICES

(2)

Ladies	**Gents**
Dāmām	Kungiem

Free	**Occupied**
Brīvs	Aizņemts

Entrance	**Exit**
Ieeja	Izeja

Open	**Closed**
Atvērts	Slēgts

Push/Pull	**Out of order**
Grūst/Vilkt	Nedarbojas

Opening hours	**Danger to life**
Darba laiks	Bīstami dzīvībai

No smoking	**Emergency exit**
Nesmēķēt	Rezerves izeja

Please do not touch	**For sale**
Lūdzu, neaizskart!	Pārdod
For hire	**Pay here**
Iznomā	Kase
Free admission	**Manager**
Ieeja brīva	Administrācija
Do not disturb	**Private property**
Netraucēt	Privātīpašums
Keep off the grass	**High voltage**
Nestaigāt pa zālāju	Augstspriegums

Private/No admittance

Nepiederošām personām ieeja aizliegta

Photos not allowed

Fotografēt aizliegts

PASU KONTROLE
PASSPORT CONTROL

3

atvaļinājums
holiday
['hɒlɪdeɪ]

ierasties (no)
come (from)/arrive
[kʌm/əˈraɪv]

pase
passport
['pɑːspɔːt]

vīza
visa
['viːzə]

izceļošanas vīza
exit visa
['eksɪt ˌviːzə]

vizīte
visit
['vɪzɪt]

cik ilgi
how long
[ˌhaʊ ˈlɒŋ]

nolūks
purpose
['pɜːpəs]

uzturēties
stay
[steɪ]

ieceļošanas vīza
entry visa
['entrɪ ˌviːzə]

pagarināt vīzu
extend a visa
[ɪkˈstend ə ˈviːzə]

Lūdzu, jūsu pasi!
Can I see your passport, please!
[kən aɪ ˈsiː jɔː ˈpɑːspɔːt ˈpliːz]

Lūdzu! (*uzrādot pasi*)
Here's my passport.
['hɪəz maɪ 'pɑːspɔːt]

No kurienes jūs esat ieradies(-usies)?
Where have you just come from?
['weə həv jʊ dʒʌst 'kʌm frəm]

No Rigas/Latvijas.
From Riga/Latvia.
[[frəm 'rɪgə/'lætvɪə]

Cik ilgi jūs šeit uzturēsieties?
How long will you be staying here?
[,haʊ 'lɒŋ wɪl jʊ bɪ 'steɪɪŋ hɪə]

Dažas dienas/divas nedēļas/mēnesi.
For a few days/two weeks/a month.
[fər ə fjuː 'deɪz/'wiːks/ə 'mʌnθ]

Ar kādu nolūku jūs šeit esat ieradies (-usies)?
What is the purpose of your visit?
['wɒt ɪz ðə 'pɜːpəs əv jɔː 'vɪzɪt]

Es šeit pavadīšu atvaļinājumu.
I'm here on holiday.
[aɪm hɪə ɒn 'hɒlɪdeɪ]

Es šeit esmu darba darīšanās.
I'm here on business.
[aɪm hɪə ɒn 'bɪznəs]

MUITA
CUSTOMS

(4)

alkoholiskie (spirtotie) dzērieni
alcoholic drinks/ spirits
[ˌælkəˈhɒlɪk ˈdrɪŋks/ ˈspɪrɪts]

bagāža
luggage/baggage
[ˈlʌgɪdʒ/ˈbægɪdʒ]

cigārs
cigar
[sɪˈgɑː]

cigarešu paka
a carton of cigarettes
[əˈkɑːtn əv ˌsɪgəˈrets]

dārglietas
jewellery
[ˈdʒuːəlrɪ]

dārgs
expensive
[ɪkˈspensɪv]

dāvana
gift
[gɪft]

deklarēt, uzrādīt muitojamās preces
declare
[dɪˈkleə]

fotoaparāts
camera
[ˈkæmərə]

ievest
bring in
[ˈbrɪŋ ˈɪn]

lietas personiskai lietošanai
personal things
[ˈpɜːsnl ˈθɪŋz]

litrs
litre
[ˈliːtə]

muita
customs
['kʌstəmz]

muitas deklarācija
customs declaration
[ˌdeklə'reɪʃn]

muitas nodeva un nodoklis
customs duty and tax
['dju:tɪ ənd 'tæks]

muitojams
liable to duty
['laɪəbl tə 'dju:tɪ]

tabakas izstrādājumi
tobacco goods
[tə'bækəʊ ˌgʊdz]

vīns
wine
[waɪn]

dzirkstošais vīns
sparkling wine
['spɑːklɪŋ]

stiprinātais vīns
fortified wine
['fɔ:tɪfaɪd]

viskija pudele
a bottle of whisky
[ə'bɒtl əv 'wɪskɪ]

**Vai jums ir kaut kas,
par ko jāmaksā muitas nodoklis?**
Have you got anything to declare?
[həv jʊ gɒt 'enɪθɪŋ tə dɪ'kleə]

Nē, nav.
No, I haven't.
['nəʊ aɪ 'hævnt]

Lūdzu, nolieciet savu bagāžu šeit!
Could you put your luggage on here, please!
[kʊd jʊ 'pʊt jɔ: 'lʌgɪdʒ ɒn hɪə 'pli:z]

Vai tā ir visa jūsu bagāža?
Is this all your luggage?
['ɪz ðɪs 'ɔ:l jɔ: 'lʌgɪdʒ]

Atveriet, lūdzu, šo somu!
Could you open this bag,
please!
[kʊd jʊ 'əʊpən ðɪs 'bæg 'pli:z]

Vai visas šīs lietas ir dāvanas?
Are all these things gifts?
['ɑ: 'ɒl ði:z 'θɪŋz 'gɪfts]

Jā, tās ir dāvanas.
Yes, they are just gifts.
['jes ðeɪ ɑ: dʒʌst 'gɪfts]

Man ir daži suvenīri, viena paka cigarešu, viskija pudele un vīna pudele.

I've got some souvenirs, a carton of cigarettes, a bottle of whisky and a bottle of wine.

[aɪv gɒt sʌm ˌsuːvəˈnɪəz/əˈkɑːtn əv ˌsɪgəˈrets/ə ˈbɒtl əv ˈvɪskɪ ənd ə ˈbɒtl əv ˈwaɪn]

Vai jums ir dārgas dāvanas? Rokaspulksteņi, rotaslietas, foto-aparāts?

Do you have any expensive presents? Watches, jewellery, a camera?

[djʊ həv əni ɪkˈspensɪv ˈpreznts/ˈwɒtʃɪz/ˈdʒuːəlrɪ/əˈkæmərə]

Nē, tikai lietas personīgai lietošanai.

No, just personal things.

[ˈnəʊ dʒʌst ˈpɜːsnl ˈθɪŋz]

Lūdzu, atļaujiet man ieskatīties šeit!

Would you let me have a look in here?

[wʊd jʊ ˈlet mɪ həv ə ˈlʊk ɪn hɪə]

Visi šie apģērbi pieder jums?

This is all your personal clothing?

[θɪs ɪz ˈɔːl jɔː ˈpɜːsnl ˈkləʊðɪŋ]

Jā.

Yes, it is.

[ˈjes ɪt ˈɪz]

Tie nav jauni.

These are not new.

[ðiːz ɑː ˈnɒt ˈnjuː]

Un kas ir šeit?

And what is this here?

[ənd ˈwɒt ɪz ˈθɪs hɪə]

Tā ir smaržu pudelīte.

It's a bottle of perfume.

[ɪts ə ˈbɒtl əv ˈpɜːfjuːm]

Vai tā ir dāvana vai personiskai lietošanai?

Is it a gift or is it for personal use?

[ˈɪz ɪt əˈgɪft ɔː ˈɪz ɪt fə ˈpɜːsnl ˈjuːs]

Tā ir dāvana.

It's a gift.

[ɪts əˈgɪft]

Vai man jāmaksā muitas nodoklis par to?
Do I have to pay duty on this?
[dʊ aɪ həv tə 'peɪ 'dju:tɪ ɒn ðɪs]

Par to nav jāmaksā muitas nodoklis.
It's duty-free.
[ɪts ˌdju:tɪ 'fri:]

Cik liela muitas nodeva man jāmaksā?
How much import duty do I have to pay?
[ˌhaʊ 'mʌtʃ 'ɪmpɔ:t 'dju:tɪ dʊ aɪ həv tə 'peɪ]

Vai es varu tagad iet?
Can I go now?
[kən aɪ 'gəʊ naʊ]

NAUDAS LIETAS
MONEY MATTERS

ārzemju valūta
foreign currency
[ˌfɒrɪn ˈkʌrənsɪ]

banknote
banknote
[ˈbæŋknəʊt]

cents
cent
[sent]

dolārs
dollar ($)
[ˈdɒlə]

eiro
euro (€)
[ˈjʊərəʊ]

naudas maiņa
money exchange
[ˈmʌnɪ ɪksˈtʃeɪndʒ]

maiņas kurss
rate of exchange
[ˈreɪt əv ɪksˈtʃeɪndʒ]

mārciņa
pound (£)
[paʊnd]

monēta
coin
[kɔɪn]

sīknauda
small change
[ˌsmɔːl ˈtʃeɪndʒ]

penijs
penny (p)
[ˈpenɪ]

peniji
pennies (*par monētām*),
[ˈpenɪz]

pence (*par naudas summu*)
[pens]

Kur es varu apmainīt naudu?
Where can I change money?
[ˈweə kən aɪ ˈtʃeɪndʒ ˈmʌnɪ]

Kur šeit tuvumā ir banka vai naudas maiņas birojs?
Where can I find a bank or a currency-exchange office around here?
[ˈweə kən aɪ ˈfaɪnd ə ˈbæŋk ɔː ə ˈkʌrənsɪ ɪksˈtʃeɪndʒ ˌɒfɪs əˈraʊnd hɪə]

Es vēlētos samainīt ASV dolārus pret angļu mārciņām/eiro.
I'd like to change US dollars into English pounds/euro.
[aɪd laɪk tə 'tʃeɪndʒ 'juː 'es 'dɒləz ɪntə 'ɪŋglɪʃ 'paʊndz/'jʊərəʊ]

Es gribētu saņemt naudu par šo ceļojuma čeku.
I'd like to cash this traveller's cheque.
[aɪd laɪk tə 'kæʃ ðɪs ˌtrævələz 'tʃek]

Vai es varu saņemt naudu par šo čeku šeit?
Can I cash this cheque here?
[kən aɪ 'kæʃ ðɪs 'tʃek hɪə]

Kāds ir maiņas kurss mārciņām/dolāriem?
What is the exchange rate for pounds/dollars?
['wɒt ɪz ðɪ ɪks'tʃeɪdʒ ˌreɪt fə 'paʊndz/'dɒləz]

Cik mārciņu es varu saņemt par simts dolāriem?
How many pounds do I get for a hundred dollars?
[ˌhaʊ 'menɪ 'paʊndz dʊ aɪ 'get fər ə 'hʌndrɪd 'dɒləz]

Cik liela ir komisijas nauda?
What's the commission?
['wɒts ðə kə'mɪʃn]

Vai es varu izmantot savu kredītkarti, lai saņemtu mārciņas?
Can I use my credit card to get pounds?
[kən aɪ 'juːz maɪ 'kredɪt kɑːd tə 'get 'paʊndz]

Dodiet man, lūdzu, banknotes un nedaudz sīknaudas!
Could I have banknotes and some small change?
[kʊd aɪ hæv 'bæŋknəʊts ənd sʌm ˌsmɔːl 'tʃeɪndʒ]

Vai šeit var samainīt ārzemju valūtu?
Is this the right desk for changing foreign currency?
['ɪz ðɪs ðə 'raɪt 'desk fə 'tʃeɪndʒɪŋ ˌfɒrɪn 'kʌrənsɪ]

Lūdzu, jūsu pasi/personas apliecību.
Can I see your passport/identification card, please!
[kən aɪ 'siː jɔː 'pɑːspɔːt/aɪˌdentɪfɪ'keɪʃn kɑːd 'pliːz]

Parakstieties, lūdzu, šeit!
Please sign here.
['pli:z 'saɪn hɪə]

Kur es varu samaksāt?
Where do I pay?
['weə dʊ aɪ 'peɪ]

Es gribu samaksāt.
I want to pay.
[aɪ 'wɒnt tə 'peɪ]

Vai es varu maksāt ar kredītkarti?
Can I pay by credit card?
[kən aɪ 'peɪ baɪ 'kredɪt kɑːd]

Vai jūs ņemat ceļojuma čekus?
Do you accept traveller's cheques?
[djʊ ək'sept ˌtrævələz 'tʃeks]

Man vajadzīga kvīts.
I need a receipt.
[aɪ 'ni:d ə rɪ'si:t]

Ierakstiet, lūdzu, to manā rēķinā!
Could you put it on my bill, please!
[kʊd jʊ 'pʊt ɪt ɒn maɪ 'bɪl 'pli:z]

Man nav sīkākas naudas.
I've nothing smaller.
[aɪv ˌnʌθɪŋ 'smɔ:lə]

Paturiet atlikumu.
Keep the change.
['ki:p ðə 'tʃeɪndʒ]

Vai var maksāt dolāros? Pēc kāda kursa?
Can I pay in dollars? What's the exchange rate?
[kən aɪ 'peɪ ɪn 'dɒləz/'wɒts ðə ɪks'tʃeɪndʒ ˌreɪt]

Mēs neņemam ārzemju valūtu/ceļojuma čekus.
We don't accept foreign currency/traveller's cheques.
[wi: 'dəʊnt ək'sept ˌfɒrɪn 'kʌrənsɪ/ˌtrævələz 'tʃeks]

Atvainojiet, bet man liekas, ka jūs kļūdījāties.
Sorry, but I think you've made a mistake.
['sɒrɪ bʌt aɪ 'θɪŋk jʊv 'meɪd ə mɪs'teɪk]

Atvainojiet, bet jūs kļūdījāties, izdodot man naudas atlikumu.
Sorry, but you've given me the wrong change.
['sɒrɪ bʌt jʊv 'gɪvn mɪ ðə 'rɒŋ 'tʃeɪndʒ]

Lūdzu, pārbaudiet to vēlreiz!
Could you check this again, please?
[kʊd jʊ 'tʃek ðɪs ə'gen 'pliːz]

LAIKS
TIME
6

ceturksnis
quarter
['kwɔ:tə]

cikos?
what time?
['wɒt 'taɪm]

kad?
when
[wen]

minūte
minute
['mɪnɪt]

pusstunda
half an hour
[,hɑːf ən 'aʊə]

sekunde
second
['sekənd]

stunda
hour
['aʊə]

septiņos no rīta
at seven in the morning/ at 7 a.m.
[ət 'sevn ɪn ðə 'mɔːnɪŋ/ət 'sevn ,eɪ 'em]

sešos pēcpusdienā
at six in the afternoon/ at 6 p.m.
[ət 'sɪks ɪn ðɪ ,ɑːftə'nuːn/ət 'sɪks ,piː 'em]

vienpadsmitos vakarā
at eleven in the evening/ at 11 p.m.
[ət ɪ'levn ɪn ðɪ 'iːvnɪŋ/ət ɪ'levn ,piː 'em]

6.1. CIK IR PULKSTENIS?
WHAT'S THE TIME?

Atvainojiet, cik ir pulkstenis?
Excuse me, what's the time?

Pulkstenis ir deviņi.
It's nine o'clock.

Ir piecas minūtes pāri deviņiem.
It's five (minutes) past nine.

Ir ceturksnis pāri desmitiem.
It's a quarter past ten.

Ir bez ceturkšņa vienpadsmit.
It's a quarter to eleven.

Ir divdesmit minūtes pāri divpadsmitiem.
It's twenty (minutes) past twelve.

Ir pusviens.
It's half past twelve.

Ir bez divdesmit piecām minūtēm trīs.
It's twenty-five (minutes) to three.

6.2. DIENAS
DAYS

Kas šodien par dienu?
What day is it today?

Šodien ir	pirmdiena.	Today's	Monday [tə'deɪz 'mʌndɪ].
	otrdiena.		Tuesday ['tjuːzdɪ].
	trešdiena.		Wednesday ['wenzdɪ].
	ceturtdiena.		Thursday ['θɜːzdɪ].
	piektdiena.		Friday ['fraɪdɪ].
	sestdiena.		Saturday ['sætədɪ].
	svētdiena.		Sunday ['sʌndɪ].

Sestdien. Sestdienās. On Saturday. On Saturdays.	**Katru sestdienu.** Every Saturday.
Šosestdien. This Saturday.	**Nākamajā sestdienā.** Next Saturday.
Pagājušajā sestdienā. Last Saturday.	**No rīta. Šorīt.** In the morning. This morning.
Pusdienas laikā. At noon.	**Pēcpusdienā. Šopēcpusdien.** In the afternoon. This afternoon.
Dienā. During the day.	

▬ 6.3. MĒNEŠI
MONTHS

Janvāris	January ['dʒænjʊərɪ]
Februāris	February ['februərɪ]
Marts	March [mɑːtʃ]
Aprīlis	April ['eɪprəl]
Maijs	May [meɪ]
Jūnijs	June [dʒuːn]
Jūlijs	July [dʒʊ'laɪ]
Augusts	August ['ɔːgəst]
Septembris	September [sep'tembə]
Oktobris	October [ɒk'təʊbə]
Novembris	November [nəʊ'vembə]
Decembris	December [dɪ'sembə]

▬ 6.4. GADALAIKI
SEASONS

Pavasaris	Spring [sprɪŋ]
Vasara	Summer ['sʌmə]
Rudens	Autumn ['ɔːtəm]
Ziema	Winter ['wɪntə]

Septembrī.
In September.

Kopš marta.
Since March.

Vasarā.
In summer

Rudenī.
In autumn.

Ziemā.
In winter.

Pavasarī.
In spring.

6.5. DATUMS
   DATE

Kāds šodien datums?
What's the date today?

Šodien ir divdesmit ceturtais septembris.
Today's the 24th of September.

Šodien ir pirmdiena, divdesmit ceturtais februāris, 2003. gads.
Today's Monday, the twenty fourth of February, two thousand and three.

LAIKA APSTĀKĻI
THE WEATHER

7

atkusnis thaw [θɔ:]	**jauks** nice [naɪs]	**karsts** hot [hɒt]
krusa hail [heɪl]	**labs** good [gʊd]	**laika apstākļi** the weather [ðə 'weðə]
lietus rain [reɪn]	**lietusgāze** pour [pɔ:]	**mākoņains** cloudy ['klaʊdɪ]
migla fog [fɒg]	**mitrs** wet [wet]	**pērkona negaiss** thunderstorm ['θʌndəstɔ:m]
salt freeze [fri:z]	**saulains** sunny ['sʌnɪ]	**sauss** dry [draɪ]
silts warm [wɔ:m]	**slapjdraņķis** sleet [sli:t]	**slikts** bad [bæd]
smalks lietus drizzle ['drɪzl]	**sniegs** snow [snəʊ]	**vējš** wind [wɪnd]	**vētra** storm [stɔ:m]

Kāds šodien būs laiks?
What's the weather going to be today?

Vai laiks būs jauks/labs/slikts?
Is the weather going to be nice/good/bad?

Vai kļūs vēsāks/karstāks?
Is it going to get colder/hotter?

Vai paredzams lietus/sniegs/sals?
Is it going to rain/snow/freeze?

Vai paredzams atkusnis?
Is the thaw setting in?

Vai paredzama migla?
Is it going to be foggy?

Šodien ir tik karsts/auksts!
It's so hot/cold today!

Šodien ir mākoņains/vējains/lietains/saulains/miglains.
It is cloudy/windy/rainy/sunny/foggy today.

Jauks laiks, vai ne?
Nice weather, isn't it?

Kā līst/snieg!
All that rain/snow!

Gāž kā ar spaiņiem!
It's pouring!

Līņā.
It's drizzling.

Kāds vējš/vētra/pērkona negaiss!
What a wind/storm/thunderstorm!

Vai šeit jau sen pieturas tādi laika apstākļi?
Has the weather been like this for long here?

Vai šeit vienmēr ir tik karsts/auksts/sauss/mitrs/miglains?
Is it always this hot/cold/dry/wet/foggy here?

IKDIENĀ LIETOJAMI VĀRDI UN FRĀZES
SOCIAL ENGLISH

8

8.1. SASVEICINĀŠANĀS
GREETINGS

Labdien! Kā jums klājas?
Hello! How are you?

(Sasveicinoties jautājums "How are you?" ir pieklājības frāze, kas pieder pie sasveicināšanās rituāla, un to neuzdod, lai apvaicātos par veselību. Atbildiet uz to īsi un nesāciet gari stāstīt par savām kaitēm. Ja jūs nejūtaties labi un gribat to pieminēt, dariet to vēlāk sarunas laikā.)

Paldies, labi. Un jums?
Fine, thank you. And you?

Man arī iet labi, paldies.
I'm fine, too, thanks.

Var iztikt./Ciešami.
Not too bad.

Ne pārāk labi.
So – so.

Sveiks, Robert! Kā iet?
Hello, Robert! How are things?/How's life?

Sveiks(-a)!/Sveiki!
Hello!/Hi!

Kā klājas ģimenei?
How's the family?

Priecājos tevi/jūs atkal redzēt/satikt.
Glad to see you again.

Labrīt!   **Labdien!**
Good morning!   Good afternoon! (*oficiālās situācijās*)

Labvakar!
Good evening! (*oficiālās situācijās*)

■■■ 8.2. ATSVEICINĀŠANĀS
SAYING GOODBYE

Atvaino(-jiet), man tagad jāiet.
Sorry, I must go now./I must be off.

Mums patiešām tagad jādodas projām.
We really must leave now.

Man bija patīkami/prieks satikt tevi/jūs.
It was nice meeting you./It was pleasure to meet you.

Man arī tas sagādāja lielu prieku.
I really enjoyed meeting you, too.

Man bija patīkami ar tevi/jums parunāties, bet man tagad jāiet.
It's been nice talking to you, but I really have to go now.

Ceru, ka drīz atkal tiksimies.   **Es arī ceru.**
I hope to see you soon again.   I hope so, too.

Uz redzēšanos!/Sveiki!
Good-bye! (*oficiālās situācijās*)

Uz redzēšanos!   **Uz drīzu redzēšanos!**
See you later!   See you soon!

Atā!   **Visu labu!**
Bye!/See you!   All the best!

Nodod(-iet) sveicienus.../Pasveicini(-iet)...
Say hello to.../Give my love to.../Give my regards to...

Pasaki(-iet), ka es apjautājos par viņu.
Tell him/her I was asking about him/her.

Paldies! Es to izdarīšu.
Thank you. I'll do that./Thanks, I will.

Saudzē sevi!
Take care of yourself./Take care.

Laimīgu ceļu! Novēlu tev/jums jauku ceļojumu/lidojumu.
Bon voyage! Have a nice trip/flight.

Novēlu tev/jums jauku nedēļas nogali.
Have a nice weekend.

Izklaidējies!	**Lai tev/jums veicas!**
Have fun.	Good luck.

8.3. UZRUNA
ADDRESSING PEOPLE

Šmita kungs!	**Šmita kundze!**
Mr Smith!	Mrs Smith! Ms Smith!

Šmita jaunkundze!
Miss Smith!

Kundze!	**Kungs!**
Madam!	Sir!

(cieņu apliecinošas uzrunas formas, neminot vārdu)

Dāmas un kungi!
Ladies and gentlemen!

8.4. IEPAZĪŠANĀS
INTRODUCTIONS

Labdien, es esmu Roberts Parkers.
Hello, I'm Robert Parker.

Priecājos ar jums iepazīties. Es esmu Toms Silvers.
Pleased to meet you. I'm Tom Silver.

Atļaujiet iepazīties! Es esmu...
May I introduce myself? I'm.../My name's...

Atļaujiet jūs iepazīstināt ar manu draugu/kolēģi. Tas ir Roberts Parkers.
Let me introduce you to a friend/a colleague of mine. This is Robert Parker.

Atvainojiet, vai jūs esat Toms Silvers?
Excuse me, are you Tom Silver?

Labdien, jūs droši vien esat Toms Silvers.
Hello, you must be Tom Silver.

Es gribētu tevi/jūs iepazīstināt ar dažiem saviem draugiem.
I'd like to introduce you to some of my friends.

Iepazīstieties ar manu sievu.
I'd like you to meet my wife.

Ļoti patīkami.
Pleased to meet you.

Es ļoti priecājos ar jums iepazīties.
I'm very pleased to meet you.

Es arī.
Nice to meet you, too.

Mēs jau agrāk esam tikušies.
We've met before.

8.5. TUVĀKA IEPAZĪŠANĀS
GETTING TO KNOW EACH OTHER BETTER

Vai jūs runājat angliski/franciski/vāciski?   **Jā, mazliet.**
Do you speak English/French/German?   Yes, a little.

No kurienes jūs esat atbraucis? – Es esmu no Latvijas.
Where do you come from? – I come from Latvia.

No kādas vietas Latvijā?   **No Rīgas.**
Whereabouts in Latvia?   From Riga.

Kur jūs dzīvojat?   **Es dzīvoju mazā pilsētā/ciemā.**
Where do you live?   I live in a small town/village.

Kur jūs esat apmeties?
Where are you staying?

Es dzīvoju Haidparka viesnīcā/pie saviem draugiem.
I'm staying at the Hyde Park Hotel/with my friends.

Vai jūs jau ilgi esat šeit? – Dažas dienas.
Have you been here long? – A few days.

Cik ilgi jūs šeit paliksiet?
How long will you be staying here?

Es šeit būšu divas nedēļas.
I'm staying for two weeks.

Es apmeklēju divu nedēļu kursus Kembridžā.
I'm on a two-week course in Cambridge.

Es droši vien aizbraukšu (braukšu projām) pēc divām nedēļām.
I'm probably leaving in two weeks.

Vai jūs jau kādreiz esat bijis Lielbritānijā?
Have you been to Britain before?

Nē, šī ir pirmā reize.
No, this is my first visit.

Jā, es jau esmu divas reizes bijis(-usi) Lielbritānijā.
Yes, I've been to Britain twice before.

Jā, es biju šeit pirms diviem gadiem.
Yes, I was here two years ago.

Vai jūs esat ieradies(-usies) viens(-a) pats(-i) vai kopā ar ģimeni?
Are you here on your own or with your family?

Es esmu viens(-a) pats(-i).
I'm on my own.

8.6. NODARBOŠANĀS
WHAT'S YOUR JOB?

Ar ko jūs nodarbojaties?
What do you do for a living?

Es esmu students(-e).
I'm a student.

Ko jūs studējat?
What are you studying?

Biznesa vadību.
Business management.

Tieslietas.
Law.

Sociālās zinātnes.
Social sciences.

Es strādāju bankā/birojā/privātā firmā.
I work in a bank/in an office/for a private company.

Es nodarbojos ar biznesu.
I'm in business.

Es esmu gids(-e)/tulks/žurnālists(-e).
I'm a tourist guide/an interpreter/a journalist.

Vai jums patīk jūsu darbs?
Do you like your job?

Jā, patīk, bet atvaļinājums man patīk labāk.
Yes, I do, but I prefer holidays.

Es esmu mājsaimniece.   **Es esmu pensijā.**
I'm a housewife.   I'm retired.

Es saņemu invaliditātes pensiju.
I'm on a disability pension.

Es esmu bezdarbnieks(-ce).
I'm unemployed.

8.7. INTERESES UN VAĻASPRIEKI
INTERESTS AND HOBBIES

Vai jums ir kāds vaļasprieks?   **Par ko jūs interesējaties?**
Do you have any hobbies?   What are you interested in?

Man patīk lasīt/ceļot/makšķerēt/sportot.
I like reading/travelling/fishing/sport.

Es kolekcionēju pastmarkas/monētas.
I collect postage stamps/coins.

Es interesējos par mūziku/literatūru/vēsturi.
I'm interested in music/literature/history.

Vai jūs daudz ceļojat?
Do you travel a lot?

8.8. ĢIMENE
FAMILY

Vai jūs esat precējies(-usies)?   **Jā, esmu.**
Are you married?   Yes, I am.

Nē, neesmu.   **Es neesmu precējies(-usies).**
No, I'm not.   I'm single.

Esmu šķīries(-usies).
I'm divorced.

Es dzīvoju viens(-a)/kopā ar kādu.
I live alone/with someone.

Es esmu atraitne(-is).
I'm a widow/widower.

Vai jūs satiekaties ar kādu?
Do you have a steady boyfriend/girlfriend?

Tā nav jūsu darīšana.
It's none of your business.

Vai jums ir bērni/mazbērni?
Do you have any children/grandchildren?

Jā, man ir meita un dēls.
Yes, I have a daughter and a son.

Cik viņai(-am) gadu?
How old is she/he?

8.9. KOMPLIMENTI UN ATBILDES UZ KOMPLIMENTIEM
PAYING A COMPLIMENT AND RESPONDING TO COMPLIMENTS

jauks(a)	lielisks(a)	mīļš
nice	great/ excellent	sweet
[naɪs]	[greɪt/'eksələnt]	[swiːt]

kolosāls	brīnišķīgs
terrific	wonderful
[tə'rɪfɪk]	['wʌndəfʊl]

Jūs izskatāties/Tu izskaties jauki/brīnišķīgi!
You look nice/wonderful!

Tu izskaties lieliski/kolosāli!
You look great/terrific!

Man patīk tava mašīna!
I like your car!

Tu esi jauks zēns/meitene!
You're a nice boy/girl!

Kāds mīļš bērns!
What a sweet child!

Viesības bija brīnišķīgas!
The party was wonderful!

Kādas brīnišķīgas viesības!
What a wonderful party!

Ēdiens bija lielisks!
The food was excellent!

Jūs gatavojāt/dejojāt brīnišķīgi!/Tu gatavo/dejo brīnišķīgi!
You're a wonderful cook/dancer!

Paldies!
Oh, thanks!

Paldies par komplimentu!
Thank you for saying so!

Es priecājos, ka tev/jums garšo/garšoja ēdiens/patika viesības!
I am glad you like/liked the food/party!

▰▰▰ 8.10. FLIRTS
FLIRTATION

draudzene	**draugs**	**flirtēt**
girlfriend	boyfriend	flirt/ chat someone up
['gɜːlfrend]	['bɔɪfrend]	[flɜːt/tʃæt ˌsʌmwʌn 'ʌp]

mīlēt	**patikt**
love	like
[lʌv]	[laɪk]

pievilcīgs	**skaists**
sweet	beautiful
[swiːt]	['bjuːtɪfəl]

Man patīk būt kopā ar tevi.
I like being with you.

Es tik ļoti ilgojos pēc tevis.
I've missed you so much.

Es visu laiku par tevi domāju.
I've been thinking about you.

Tev ir tik pievilcīgs smaids.
You have such a sweet smile.

Tev ir tik skaistas acis.
You have such beautiful eyes.

Es esmu tevī iemīlējusies/iemīlējies.
I'm in love with you.

Es arī esmu tevī iemīlējies/iemīlējusies.
I'm in love with you, too.

Es tevi mīlu.
I love you.

Es arī tevi mīlu.
I love you, too.

Man nav tik stipras jūtas pret tevi.
I don't feel as strongly about you.

Man jau ir draugs/draudzene.
I already have a boyfriend/girlfriend.

Es tam neesmu gatavs/gatava.
I'm not ready for that.

Viss norisinās pārāk strauji.
This is going too fast for me.

Liec mani mierā!
Leave me alone!

Vai tu šonakt paliksi kopā ar mani?
Will you stay with me tonight?

Nepieskaries man!
Take your hands off me!

Es vēlētos ar tevi pārgulēt.
I'd like to go to bed with you.

Tikai tad, ja mēs izmantojam prezervatīvu.
Only if we use a condom.

Mums jāuzmanās no AIDS.
We have to be careful about AIDS.

Mums nevajadzētu riskēt.
We shouldn't take any risks.

Vai tev ir prezervatīvs?
Do you have a condom?

Nē? Tad mēs to nedarīsim.
No? In that case we won't do it.

■■■ 8.11. ATVAINOŠANĀS
APOLOGIZING

Atvainojiet!/Piedodiet!
Excuse me!/Sorry!

(*Excuse me* lieto:
- *lai uzrunātu nepazīstamu cilvēku, piemēram, uz ielas. Izrunājiet to skaļi un ar kāpjošu intonāciju;*
- *pirms sagādājat kādam neērtības.*)
(*I'm sorry./Sorry* lieto:
- *lai atvainotos kādam par sagādātajām neērtībām;*
- *lai palūgtu kādu atkārtot tikko sacīto. Tad šo vārdu izrunā, paaugstinot balss toni.*)

Kā, lūdzu?
Sorry?/Pardon?

Atvainojiet, vai jūs varētu pateikt, kur ir biļešu kase?
Excuse me, could you tell me where the ticket office is.

Atvainojiet, vai jūs nevarētu pavirzīt tālāk savu somu?
Excuse me, could you move your bag, please?

Atvainojiet mani uz mirklīti. (*Ja jums uz brīdi jāaiziet.*)
Excuse me a moment.

Lūdzu, atvainojiet mani. Es tagad iešu. Esmu noguris(-usi).
Would you excuse me, I think I'd better go. I'm tired.

Atvainojiet, ka nokavēju.
Sorry, I'm late.

Atvainojiet, ka liku jums gaidīt.
Sorry, I've kept you waiting.

Es ļoti atvainojos, bet man liekas, ka esmu pazaudējis(-usi) atslēgu.
I'm very sorry, but I think I've lost my key.

Es ļoti atvainojos. Es jūs pārpratu.
I'm extremely sorry. I misunderstood you.

(I beg your pardon/I apologize/forgive me lieto, atvainojoties par nopietnāku pāridarījumu, kļūdu vai atgadījumu.)

Lūdzu, piedodiet man! Es negribēju jūs aizvainot. Es neiedo-mājos.
I beg your pardon./I do apologize. I didn't want to hurt your feelings. I didn't realize.

Lūdzu, piedod man. Es nedarīju to tīšām. Tas bija negadījums.
Do forgive me. I didn't do it on purpose. It was an accident.

KĀ ATBILDĒT
HOW TO REPLY

Nekas./Viss kārtībā.
That's O.K./That's quite all right.

Nav svarīgi.
It doesn't matter.

Neraizējieties!
Don't worry.

Nedomājiet par to!
Never mind.

8.12. LŪGUMS
REQUEST

Lūdzu, vai jūs varat nosūtīt šo vēstuli?
Can you post this letter for me, please?

Lūdzu, vai drīkst izmantot jūsu telefonu vietējai sarunai?
May I use your phone for a local call, please?

Lūdzu, pasūtiet man viesnīcas numuru!
Could you book the hotel for me, please?

Vai jūs, lūdzu, nevarētu to pārbaudīt?
Do you think you could check it, please?

Jā, protams.
Yes, of course./Yes, certainly.

Baidos, ka nevarēšu. Es esmu aizņemts(-ta).
I'm afraid not. I'm busy.

Atvainojiet, bet tas nav iespējams.
I'm sorry, but that's not possible.

Es domāju, ka to būs grūti izdarīt.
I think that will be difficult.

▇▇ 8.13. PATEICĪBA
SAYING THANK YOU

Paldies!/Pateicos! Liels paldies!
Thank you./Thanks. Thanks a lot.

Ļoti pateicos! Sirsnīgs (mīļš) paldies!
Thank you very much. Thank you ever so much.

Esmu tev/jums ļoti pateicīgs(-a). Tas bija tik laipni no tevis/jums.
I'm VERY grateful. That WAS kind of you.

Paldies par jūsu ielūgumu/pūlēm/viesmīlību.
Thank you for your invitation/trouble/hospitality.

Tas man sagādāja prieku.
I've really enjoyed that.

Ņemiet par labu!/Nav par ko!
You're welcome./That's all right.

▇▇ 8.14. PIEDĀVĀJUMS PALĪDZĒT
OFFERING HELP

Vai es varu palīdzēt jums (to izdarīt)?
Can I give you a hand with that?

Vai palīdzēt jums? Vai jums nepieciešama palīdzība?
Shall I help you? Do you need any help?

Atļaujiet man jums palīdzēt.
Let me help you.

Vai jūs vēlaties, lai es aizveru logu?
Do you want me to close the window?

Ja jūs vēlaties, es izsaukšu jums taksometru.
If you like, I can get a taxi for you.

Vai jūs vēlaties, lai es sarunāju jums tikšanos ar Spensera kungu?
Would you like me to make an appointment with Mr Spencer for you?

Jā, lūdzu. Paldies. Jūs esat ļoti laipns.
Yes, please. Thank you. That's very kind of you.

Paldies, bet neapgrūtiniet sevi.
Thanks, but don't bother.

Paldies, bet tas nebūs nepieciešams.
Thanks, but that won't be necessary.

Tas ir ļoti laipni no jums, bet es varu pats(-i) tikt galā.
That's very kind of you, but I can manage.

8.15. KĀ IZTEIKT PRIEKŠLIKUMU
MAKING A SUGGESTION

Es ierosinu satikties pie viesnīcas/teātra.
I suggest meeting at the hotel/the theatre.

Kā būtu, ja mēs aizietu uz kino?
How about going to the cinema/the movies?

Aiziesim kaut kur šovakar!
Why don't we go out tonight?

Mēs varētu aiziet uz koncertu/uz operu.
We could go to a concert/to the opera.

Aiziesim uz džeza/simfoniskās mūzikas koncertu.
Let's go to a jazz concert/a symphony concert.

Jā, tā ir laba doma.	**Laba doma!**
Yes, that's a good idea.	Good idea!

Jā, labi.	**Jā, bet tas ir pārāk tālu.**
Yes, let's do that.	Yes, but it's too far.

Man negribas.	**Es neesmu par to pārliecināts(-a).**
I don't feel like it.	I'm not sure about that.

Baidos, ka man nepatīk šī doma.
I'm afraid I don't like this idea.

▨▨▨ 8.16. KĀ NORUNĀT TIKŠANOS
MAKING ARRANGEMENTS

Kad mēs varētu tikties?	**Kad jūs esat brīvs?**
When could we meet?	When are you free?

Man ir diezgan daudz darba šonedēļ.
I'm rather busy this week.

Vai mēs nevarētu rīt kopā paēst pusdienas?
Could we arrange to have lunch tomorrow?

Cikos? Kāds laiks jums būtu piemērots?
What time? What time would suit you?

Kā būtu pusdivos? Kādā laikā jums būtu ērtāk?
How about one-thirty? What time would be convenient for you?

Jā, labi.	**Tas man der.**
Yes, that's fine.	That suits me fine.

Nē, baidos, ka būšu aizņemts(-a).
No, I'm afraid I am busy then.

Man tajā laikā ir norunāta cita tikšanās.
I've got another appointment then.

Vai jums nedēļas nogale ir brīva?
Are you free over the weekend?

Kur mēs satiksimies?
Where shall we meet?

Es aizbraukšu tev/jums pakaļ.
I'll pick you up.

Vai tu/jūs atbrauksiet man/mums pakaļ?
Will you pick me/us up?

Atvainojiet, bet man jāatceļ mūsu tikšanās. Es nevaru uz to ierasties.
I'm sorry, but I have to cancel our meeting. I can't manage it.

Vai mēs varētu norunāt citu laiku?
Could we arrange another time?

Vai nākamajā nedēļā jums ir iespējams?
Is next week possible for you?

Man ir brīvs laiks piektdien.
I'm free on Friday.

Jā. Piektdien es varu.
Yes, I can make it on Friday.

8.17. IELŪGUMS
INVITATION

Es gribētu tevi/jūs uzaicināt uz...
I'd like to invite you to...

Vai tu/jūs vēlētos mums pievienoties?
Would you like to join us?

Ko tu/jūs dari/darāt šovakar?
Are you doing anything tonight?

Vai tev/jums ir kaut kas ieplānots šo pēcpusdien?
Do you have any plans for this afternoon?

Man nav nekas ieplānots.
I haven't got anything planned.

Vai jūs vēlētos šo vakaru pavadīt kopā ar mani?
Would you like to go out with me?

Vai jūs vēlētos kopā ar mums apciemot dažus draugus?
Would you like to come and see some friends with us?

Vai jūs vēlētos rīt kopā ar mums paēst pusdienas?
Would you like to join us for lunch tomorrow?

Es gribētu uzaicināt jūs uz restorānu.
I'd like to invite you to come and have dinner with me in a restaurant.

Paldies! Labprāt! Man tas patiktu.
Thank you. I'd love to. I'd enjoy that.

Paldies! Es ar prieku pieņemu jūsu uzaicinājumu.
Thank you. I'm delighted to accept.

Paldies! Es labprāt pieņemtu jūsu uzaicinājumu, bet baidos, ka nevarēšu.
Thank you. I'd love to, but I'm afraid I can't.

Man jau ir norunāta tikšanās.
I've made another arrangement.

Vai jūs, lūdzu, varētu rīt atnākt pie mums uz pusdienām/vaka-riņām?
Could you come over for lunch/dinner tomorrow?

8.18. APSVEIKUMI
CONGRATULATIONS

Apsveicu dzimšanas dienā/vārda dienā!
Happy birthday/name day!

Daudz laimes dzimšanas dienā! – Paldies.
Many happy returns! – Thank you.

Priecīgus Ziemassvētkus! Laimīgu Jauno Gadu!
Merry Christmas! Happy New Year!

Paldies. Tev/Jums tāpat.
Thank you. The same to you.

Vislabākie novēlējumi Ziemassvētkos un Jaunajā Gadā!
Best wishes for Christmas and the New Year!

8.19. LĪDZJŪTĪBAS IZTEIKŠANA
CONDOLENCES

Lūdzu, pieņemiet manus līdzjūtības apliecinājumus.
Please accept my condolences.

Es jums jūtu līdz.
I'm very sorry for you.

PRASME SARUNĀTIES
9 CONVERSATIONAL STRATEGIES

9.1. KĀ IESĀKT/PABEIGT SARUNU
HOW TO START/END A CONVERSATION

Atvainojiet, vai drīkst jums kaut ko pajautāt?
Excuse me. Could I ask you something?

Vai mēs neesam jau kaut kur agrāk tikušies?
Haven't we met somewhere before?

Atvainojiet, lūdzu, vai jūs varētu man palīdzēt?
Excuse me. Could you help me, please?

Kā es varu jums palīdzēt?
How can I help you?

Vai jūs, lūdzu, varētu mani/mūs nofotografēt? Nospiediet šo pogu!
Could you take a photo of me/us, please? Press this button.

Atvainojiet, man nav laika. Es steidzos.
Sorry, I don't have time. I'm in a hurry.

Vai drīkst jums pievienoties?
May I join you?

Lieciet mani mierā!
Leave me alone!

Ejiet projām, vai arī es kliegšu!
Go away or I'll scream.

Pazūdi!
Get lost!

■ 9.2. KĀ UZDOT JAUTĀJUMU
HOW TO ASK A QUESTION

Kas?
Who? (*jautājot par dzīvām būtnēm*)
[huː]

Kas tas par cilvēku?
Who's that man?

Kas?
What? (*jautājot par priekšmetiem*)
[wɒt]

Kas tas ir?
What's that?
[wɒts 'ðæt]

Ko?
What?
[wɒt]

Ko jūs vēlaties?
What do you want?

Kur?
Where?
[weə]

Kur tas atrodas?
Where is it?

Kā?
How?
[haʊ]

Kā es varu turp nokļūt?
How can I get there?

Cik daudz?
How much?
[haʊ 'mʌtʃ]

Cik tas maksā?
How much is it?

Cik daudz?
How many?
[haʊ 'menɪ]

Cik biļetes jums vajag?
How many tickets do you need?

Cik ilgi?
How long?
[haʊ 'lɒŋ]

Cik ilgi man jāgaida?
How long do I have to wait?

Cik tālu?
How far?
[haʊ 'fɑː]

Cik tālu tas atrodas?
How far is it?

Kad?
When?
[wen]

Kad jūs aizbraucat?
When are you leaving?

Cikos?
What time?
[wɒt 'taɪm]

Cikos atiet vilciens?
What time does the train leave?

Kādēļ?/Kāpēc?
Why?
[waɪ]

Kādēļ jums tas nepieciešams?
Why do you need it?

Vai jūs varētu man izdarīt pakalpojumu?
Could you do me a favour?

Kurš(-a)?
Which?
[wɪtʃ]

Kuru grāmatu jūs vēlaties?
Which book do you want?
(Which one do you want?)

Kurus(-as) jūs vēlaties?
Which ones do you want?

Vai es varu...?
Can I...?

Vai es varu to ņemt?
Can I take this?

Vai jūs varētu...?
Could you...?

Vai jūs varētu man pateikt, cik ir pulkstenis?
Could you tell me the time, please?

Vai jums ir...?
Do you have...?/
Have you got...?

Vai jums ir veģetāri ēdieni?
Do you have vegetarian dishes?

Vai jūs zināt...?
Do you know...?

Vai jūs zināt kādu labu restorānu?
Do you know any good restaurant?

9.3. KĀ ATBILDĒT SARUNAS BIEDRAM
REACTING TO WHAT OTHER PEOPLE SAY

Jā. Es saprotu/zinu.
Yes. I see/know.

Jā?	**Patiešām?**	**Cik interesanti!**
Yes?/Oh?	Really?	How interesting!

Tas nevar būt!   **Neiespējami!**
It can't be!   Impossible!

Tas tik ir pārsteigums!
That is a surprise!

Un kas notika tad?   **Un tad?**
And what happened then?   And then?

Vai jūs, lūdzu, varētu to atkārtot?   **Kā, lūdzu?**
Sorry, could you say that again?   Sorry?/Pardon?

Atvainojiet, es nedzirdēju, ko jūs sacījāt.
I'm sorry I didn't hear what you said.

Vai jūs saprotat mani?
Do you see what I mean?

Vai es izteicos pietiekami skaidri?   **Vai tas ir skaidrs?**
Have I made myself clear?   Is that clear?

Vai jūs sekojat manai domai?
Can you follow me?

Vai jūs, lūdzu, varētu to paskaidrot?
Could you explain that, please?

Baidos, ka es jūs nesaprotu.
I'm afraid I don't understand you.

Ko jūs ar to gribat teikt?
What do you mean?

Es īsti nesaprotu, ko jūs ar to gribat teikt.
I don't quite see what you mean. / I don't follow you.

Ja es jūs pareizi sapratu,...　　　　**Jūs gribat teikt, ka...**
If I understood you correctly...　　What you are trying to say is...

To es neteicu.
That's not what I said.

Tas nav tas, ko es gribēju teikt.
That's not what I meant to say.

Atļaujiet man paskaidrot precīzāk.
Let me explain it more clearly.

Citiem vārdiem...
In other words...

▰▰ 9.4. KĀ AIZPILDĪT NEVEIKLAS PAUZES
FILLERS AND HESITATION DEVICES

Nu...　　　　　**Redziet...**　　　　**Ļaujiet padomāt.**
Well,...　　　　　You see...　　　　Let me think.

Atklāti sakot,...　　　　**Faktiski...**
Frankly,...　　　　　　　In fact,...

Būtībā...　　　　　**Lieta tā, ka...**
Actually,...　　　　　The thing is...

Es saprotu, ko jūs gribat teikt.
I see what you mean.

Man jāpadomā.　　　　**Kā to labāk pateikt?**
I'll have to think about it.　　How shall I put it?

Tas ir labs jautājums.
It's a good question.

Ir grūti precīzi pateikt.
It's difficult to say exactly.

Es teiktu...
What I would say is...

9.5. KĀ PĀRTRAUKT SARUNAS BIEDRU
INTERRUPTING

Atvainojiet, ka pārtraucu jūs.
Excuse me for interrupting you.

Atvainojiet, ka pārtraucu, bet es gribētu piebilst, ka...
Sorry to break in, but I'd like to add that...

Atvainojiet, vai es drīkstu jūs uz mirkli pārtraukt?
Sorry, may I stop you for a second?

Pagaidiet! Jūs gribat teikt, ka...?
Hold on! Do you mean that...?

9.6. KĀ PIESAISTĪT KLAUSĪTĀJU UZMANĪBU
NARRATIVE TECHNIQUES

Tam ir grūti noticēt, bet...
This is hard to believe, but...

Es neticēju savām acīm/ausīm!
I couldn't believe my eyes/ears!

Un tas vēl nav viss!
And that's not all!/And there's more!

Tu / Jūs nekad neuzminēsi (-iet), kas notika tālāk!
You'll never guess what happened next!

Uzmini (-iet), kas?
Guess what!

Iedomājies (-ieties), cik es biju pārsteigts (-a), kad...
Imagine my surprise when...

Kā tu domā/jūs domājat, ko viņš/viņa teica?
What do you think he/she said?

▄▄▄ 9.7. KĀDS IR JŪSU VIEDOKLIS?
   WHAT'S YOUR OPINION?

Ko jūs par to domājat?
What do you think about it?

Kāds ir jūsu viedoklis par to?
What's your opinion of it?

Kādas ir tavas domas par to?
How do you feel about it?

Es domāju/uzskatu...
I think/believe...

Pēc manām domām...
In my opinion/To my mind...

▄▄▄ 9.8. ES PIEKRĪTU
   I AGREE

Jā, es piekrītu.
Yes, I agree.

Es arī tā domāju.
I think so too.

Jā, tas tiesa. / Pareizi.
Yes, that's right / true.

Jums taisnība.
You're right.

Jā, es pilnīgi tam piekrītu.
Yes, I agree completely with that.

Absolūti.
Absolutely.

Tieši tā.
Exactly.

Tieši to es gribēju teikt.
That's what I was going to say.

9.9. ES NEPIEKRĪTU
I DISAGREE

Baidos, ka nepiekrītu jums.
I'm afraid I don't agree with you.

Man žēl, bet es nepiekrītu.
I'm sorry, but I disagree.

Jūs maldāties.
You're wrong.

Es principā piekrītu, bet es uz to raugos citādi.
I agree in principle, but that's not the way I see it.

Zināmā mērā, jā, bet...
To a certain extent, yes, but...

Es saprotu, ko jūs domājat, bet...
I see what you mean, but...

Jā, tā varētu būt, bet...
Yes, maybe, but.../Perhaps, but...

Jūs droši vien jokojat!
You must be joking!

Jūs taču to nedomājat nopietni!
You can't be serious!

Es par to negribu izteikties.
I'd rather not say anything about it.

Ir grūti pateikt.
It's difficult to say.

Es patiešām nezinu, ko teikt.
I really don't know what to say.

Kā uz to skatās.
That all depends.

Baidos, ka nevaru to komentēt.
I'm afraid I can't comment on it.

■ 9.10. VISPĀRINĀŠANA
GENERALISING

Vispār...
In general...

Visumā...
On the whole...

Laiku pa laikam...
From time to time...

■ 9.11. REZUMĒŠANA
SUMMING UP

Rezumējot...
So, to sum up...

Citiem vārdiem...
In other words...

Īsi sakot...
In a word...

CEĻOJUMS AR LIDMAŠĪNU
AIR TRAVEL

10

aviolīnija
airline
['eəlaɪn]

aizkavēšanās
delay
[dɪ'leɪ]

bagāža
luggage/baggage
['lʌgɪdʒ/'bægɪdʒ]

bagāžas saņemšana
baggage claim
['bægɪdʒ kleɪm]

drošības josta
seat belt
['siːtbelt]

iekāpšana
boarding
['bɔːdɪŋ]

iekāpšanas talons
boarding card
['bɔːdɪŋ kɑːd]

ielidošana
arrival
[ə'raɪvl]

izlidošana
departure
[dɪ'pɑːtʃə]

izeja
gate
[geɪt]

lidmašīna
aircraft/(aero) plane
['eəkrɑːft/('eərəʊ) pleɪn]

lidosta
airport
['eəpɔːt]

nolaišanās
landing
['lændɪŋ]

piespiedu nolaišanās
emergency landing
[ɪ'mɜːdʒənsɪ ˌlændɪŋ]

pacelšanās
take-off
['teɪkɒf]

pārsēsties
change planes
['tʃeɪndʒ 'pleɪnz]

pārsēšanās
connection
[kə'nekʃn]

reģistrācija
check-in
['tʃekɪn]

reiss
flight
[flaɪt]

reisa numurs
flight number
['flaɪt ˌnʌmbə]

rezerves izeja
emergency exit
[ɪ'mɜːdʒənsɪ 'eksɪt]

čarterreiss
charter flight
['tʃɑːtə flaɪt]

regulārs reiss
scheduled flight
['ʃedjuːld flaɪt]

tiešais reiss
direct flight
[dɪ'rekt flaɪt]

stjuarts(-e)
flight attendant
['flaɪt ə'tendənt]

vieta
seat
[siːt]

▤ 10.1. LIDOSTĀ
AT THE AIRPORT

Kur var reģistrēties lidojumam uz Ņujorku?
Where do I check-in for the flight to New York?

Vai šeit notiek reģistrācija uz reisu BA 2871, uz Ņujorku?
Is this the check-in for the flight BA 2871 to New York?

Uzrādiet, lūdzu, savu biļeti un pasi!
Can I see your ticket and passport, please?

Uzlieciet, lūdzu, savu bagāžu uz svariem!
Put your baggage on the scales, please!

Vai es drīkstu ņemt šo somu līdzi salonā kā rokas bagāžu?
Can I take this bag as hand luggage?

Cik smagu bagāžu var ņemt līdzi?
How many kilos of luggage (baggage) may I take?

Bez maksas var ņemt līdzi 20 kilogramus.
The baggage allowance is twenty kilograms.

Cik jāpiemaksā par virsnormas bagāžu?
How much do you charge for excess luggage?

Par katru virsnormas bagāžas kilogramu jāpiemaksā ... mārciņas/dolāri.
The extra charge is ... pounds/dollars for each extra kilogram of luggage.

Par cik kilogramiem ir pārsniegta bagāžas norma?
How much excess luggage is there?

Lūdzu, saņemiet savu iekāpšanas talonu!
Here's your boarding pass (card).

Jums vajadzēs to uzrādīt pie izejas uz lidmašīnu.
You'll need to show it again at the gate.

■ **PAZIŅOJUMI**
ANNOUNCEMENTS

Iekāpšana lidmašīnā uz Ņujorku, reiss BA 2871, notiek pie 6. izejas.
Flight BA 2871 to New York is boarding at Gate 6.
['flaɪt 'biː 'eɪ 'tuː 'eɪt 'sevn 'wʌn tə ˌnjuː 'jɔːk ɪz 'bɔːdɪŋ ət 'geɪt 'sɪks]

Lūdzu, pasažierus doties uz 6. izeju!
Passengers are requested to go to Gate 6.
['pæsɪndʒəz ɑː rɪ'kwestɪd tə 'gəʊ tə 'geɪt 'sɪks]

Lidmašīna no Parīzes, reiss BA 4568, ir aizkavējusies slikto laika apstākļu dēļ.
Flight BA 4568 from Paris is delayed due to bad weather conditions.
['flaɪt 'biː 'eɪ 'fɔː 'faɪv 'sɪks 'eɪt frəm 'pærɪs ɪz dɪ'leɪd djuː tə 'bæd 'weðə 'kəndɪʃnz]

Pēdējais uzaicinājums reģistrēties uz reisu BA 456, uz Ženēvu. Lūdzu, reģistrēties nekavējoties!
A final call for flight BA 456 to Geneva. Please check in immediately.
[ə 'faɪnl 'kɔːl fə 'flaɪt 'biː 'eɪ 'fɔː 'faɪv 'sɪks tə dʒɪ'niːvə/'pliːz 'tʃek ɪn ɪ'miːdjətlɪ]

▮▮ 10.2. AVIOBIĻEŠU REZERVĒŠANA
MAKING FLIGHT RESERVATIONS

Vai jūs man nepateiktu lidmašīnu izlidošanas laikus lidojumam no ... uz ..., lidojot piektdienā?
Could you tell me the times of flights from ... to ..., travelling on a Friday?

Katru dienu ir viens Britu aviolīnijas reiss ar izlidošanas laiku 14.15 un ielidošanas laiku 16.10.
There's one British Airways flight daily, leaving at 14.15 and arriving at 16.10.

Vai ir kādi tiešie lidmašīnu reisi uz ...?
Are there any direct flights to ...?

Nē, nav. Visi reisi ir ar pārsēšanos.
No, I'm afraid not. They all involve a change.

Jums jālido caur ... un jāpārsēžas... .
You have to fly via ... and change at ... .

Kādi ir pārsēšanās laiki?
What are the transfer times?

Cikos pienāk pirmais/pēdējais lidmašīnas reiss?
What time does the first/last flight get in?

Es sazināšos ar kolēģiem un piezvanīšu jums vēlreiz, lai pasūtītu biļetes.
I'll get in touch with my colleagues and call you back to book the flights.

Es gribētu uzzināt par lidmašīnu reisiem uz Ņujorku.
I'd like some information about flights to New York.

Kad jūs gribat doties ceļā?
When would you like to travel?

Man tur jābūt 5. maijā.
I need to be there on the 5th of May.

Viens reiss ir no rīta un ir vēl divi reisi vēlāk. Visi tiešie reisi.
There's one flight in the morning and two later flights. They are all direct flights.

Vai ir biļetes pirmajā klasē/biznesa klasē/tūristu klasē uz šo reisu?
Are there seats available in First Class/Business Class/Economy Class on this flight?

Ja jūs lidotu ar lidmašīnu, kas izlido no Hītrovas lidostas no rīta, jūs būtu Ņujorkā vēlā pēcpusdienā.
If you got a flight from Heathrow in the morning, you'd be in New York by the late afternoon.

Kāda ir atšķirība laikā?   **Viņu laiks atpaliek no mūsu.**
What's the time difference?   They're behind us.

Apvienoto aviolīniju lidmašīna izlido no Hītrovas 9.45 un ielido Sanfrancisko 13.05 pēc vietējā laika.
The United Airlines flight leaves Heathrow at 9.45 and arrives in San Francisco at 13.05 local time.

Kad jūs domājat lidot atpakaļ? Vai jums jau ir padomā kāds datums?
What about the return flight? Do you have a date in mind?

Jā, man jābūt atpakaļ 9. maijā.
Yes, I need to be back on the 9th of May.

Es domāju, ka man jālido ar lidmašīnu, kas izlido no Ņujorkas 8. maijā.
I guess I need a flight leaving New York on the 8th of May.

Kāds laiks jums būtu piemērotāks?
Do you have any preference for time?

Es negribu atgriezties pārāk vēlu.
I don't want to get back too late.

Viens reiss pienāk Hītrovā mazliet pēc deviņiem vakarā.
There's one flight that gets in Heathrow just after nine o'clock in the evening.

Vai ir vēl citas iespējas?
Are there any other options?

Jā, viens reiss pienāk tūlīt pēc pusdienlaika.
Yes, there's a flight that gets in just after midday.

Jā, labi. Tas, šķiet, ir vislabākais variants.
O.K., that sounds the best option.

Kāda cena jums būtu piemērotāka?
Do you have a preference for price?

Vislētākā.
The cheapest possible.

Viszemākā cena ir ... .
The lowest basic price is ... .

Kopā ar nodokli tas ir ... .
With tax it comes to ... .

CEĻOJUMS AR VILCIENU
RAIL TRAVEL

11

bagāža
luggage/baggage
['lʌgɪdʒ/'bægɪdʒ]

bagāžas glabātuve
left-luggage
[,left 'lʌgɪdʒ]

biļešu kase
ticket office
['tɪkɪt ,ɒfɪs]

biļete vienā virzienā
single ticket
['sɪŋgl ,tɪkɪt]

biļete turp un atpakaļ
return ticket
[rɪ'tɜ:n ,tɪkɪt]

pasūtīt / rezervēt biļetes
book tickets/make a reservation
['bʊk 'tɪkɪts/'meɪk ə,rezə'veɪʃn]

derīga (*biļete*)
valid (*ticket*)
['vælɪd]

guļamvagons
sleeping car
['sli:pɪŋ kɑ:]

kontrolieris (*biļešu*)
ticket collector
['tɪkɪt kə,lektə]

kupeja
compartment
[kəm'pɑːtmənt]

vienvietīga / divvietīga kupeja
one-berth / two-berth compartment
[wʌn 'bɜ:θ kəm'pɑːtmənt]

perons
platform
['plætfɔ:m]

piemaksāt
pay a supplement
['peɪ ə 'sʌplɪmənt]

plaukts (*bagāžas*)
luggage rack
['lʌgɪdʒ ræk]

ratiņi (*bagāžai*)
luggage trolley
['lʌgɪdʒ trɒlɪ]

restorānvagons
dining car
['daɪnɪŋ kɑː]

sliežu ceļi
tracks
[træks]

stacija
station/terminal
['steɪʃn/'tɜːmɪnl]

tablo
indicator board
['ɪndɪkeɪtə bɔːd]

uzgaidāmā zāle
waiting room
['weɪtɪŋ rʊm]

vagons
carriage
['kærɪdʒ]

vieta
seat
[siːt]

vilciens
train
[treɪn]

ar vilcienu
by train
[baɪ 'treɪn]

vilcienu saraksts
train times/timetable
['treɪn ˌtaɪmz/'taɪmˌteɪbl]

▄▄ 11.1. INFORMĀCIJA PAR VILCIENU PIENĀKŠANU UN ATIEŠANU
INFORMATION ABOUT TRAIN TIMES

Kad ir nākamais vilciens uz Oksfordu?
When's the next train to Oxford, please?

Cikos atiet pirmais/pēdējais vilciens uz ...?
What time does the first/last train to... leave?

Es gribētu uzzināt vilcienu atiešanas laikus no... uz... .
I'd like to know the times of trains from... to... .

Kad jūs gribat braukt?
When do you want to travel?

Vai ir kāds vilciens uz ... no rīta ap deviņiem?
Is there a train to .... at about 9 o'clock in the morning, please?

Vai ir kāds vilciens, kas atiet mazliet agrāk/vēlāk?
Is there anything a bit earlier/later, please?

Cikos vilciens pienāk Oksfordā?
What time does the train get to Oxford, please?

Vai svētdienās vilcieni kursē pēc tāda paša saraksta?
Is it the same service on Sundays?

No kuras stacijas atiet vilciens?
What station does the train leave from?

Vai biļetes ir iepriekš jāpasūta?
Do I need to make a reservation?

Jā, tas ir ieteicams. Cik ilgi jābrauc?
Yes, it's advisable. How long does the journey take?

Vai tas ir tiešas satiksmes vilciens, vai man jāpārsēžas?
Is it a through train or do I have to change?

Vai vilciens pietur...?
Does the train stop at...?

11.2. BIĻEŠU IEGĀDE
BUYING TICKETS

Kur var nopirkt biļeti?   **Biļeti turp vai turp un atpakaļ?**
Where can I get a ticket?   A single or return?

Vienu biļeti turp un divas biļetes turp un atpakaļ uz Oksfordu.
A single and two returns to Oxford.

Vienu bērnu biļeti turp un atpakaļ uz ... .
A child's return to ... .

Cik maksā biļete uz Oksfordu vienā virzienā un turp un atpakaļ?
How much is a single (ticket) and a return to Oxford?

Pirmajā klasē vai otrajā klasē?
First class or second class?

Vai es varu braukt atpakaļ ar šo pašu biļeti?
Can I come back on the same ticket?

Cik ilgi šī biļete ir derīga?
How long is this ticket valid for?

(Lielbritānijā lēta vienas dienas turp un atpakaļ biļete ir derīga tikai tajā dienā, kad tā nopirkta, un to var izmantot tikai ierobežotā laikā pēc rīta sastrēgumstundas.

In Britain, a cheap day return is valid only on the day you buy it, and usually only after a certain time in the morning.

Parastā turp un atpakaļ biļete ir dārgāka, un ar to var braukt jebkurā vilcienā trīs mēnešu ilgā laika posmā.

An ordinary return is more expensive and it is valid on any train for a period of three months.)

Vai mana braukšanas karte ir derīga šajā vilcienā?
Is my travel card valid on this train?

Es gribētu pasūtīt vienu biļeti guļamvagonā.
I'd like to book a berth in the sleeping car.

Ir vienvietīgas kupejas pirmās klases pasažieriem un divvietīgas vai trīsvietīgas kupejas otrās klases pasažieriem.
There are single-berth compartments for first-class passengers and two or three-berth compartments for second-class passengers.

■ 11.3. STACIJĀ
AT THE RAILWAY STATION

No kura perona atiet vilciens uz ...?
Which platform does the train to ... leave from?

■ PAZIŅOJUMI
TRAIN ANNOUNCEMENTS

Lūdzu uzmanību! Pie 5. perona pienāk/atrodas vilciens, kas 8.45 atiet uz Oksfordu.
Attention please! The train now arriving/standing at platform 5 is 8.45 for Oxford.
[ə'tenʃn 'pli:z/ðə 'treɪn naʊ ə'raɪvɪŋ / 'stændɪŋ ət 'plætfɔ:m 'faɪv ɪs 'eɪt ,fɔ:tɪ 'faɪv fə 'ɒksfəd]

Vilciens uz/no ... kavējas par 5 minūtēm.
The train to/from ... is delayed by 5 minutes.
[ðə 'treɪn tə/frəm... ɪz dɪ'leɪd baɪ 'faɪv 'mɪnɪts]

■ UZRAKSTI
SIGNS

LEFT-LUGGAGE	WAITING ROOM
Bagāžas glabātuve	Uzgaidāmā zāle
LOST PROPERTY	**PLATFORMS 1 TO 3**
Atradumu galds	Izeja uz 1–3 peronu
ENQUIRY OFFICE	**TICKETS**
Uzziņu birojs	Biļešu kases

INFORMATION DESK	ARRIVALS

Uzziņas   Vilcienu pienākšana

DEPARTURES

Vilcienu atiešana

▰▰ 11.4. VILCIENĀ
ON THE TRAIN

Vai šī vieta ir aizņemta?
Is this seat taken?

Vai šīs divas vietas ir aizņemtas?
Are these two seats taken?

Atvainojiet! Es pavirzīšu tālāk savu somu.
Sorry! I'll move my bag.

Lūdzu, vai drīkst aizvērt/atvērt logu?
Do you mind if I close/open the window, please?

Lūdzu, vai jūs nevarētu pieskatīt manas lietas kādu brīdi?
Could you keep an eye on my things for a moment, please?

Vai jūs nezināt, vai šajā vilcienā ir restorānvagons?
Do you know if there's a buffet/restaurant car on the train?

Lūdzu, uzrādiet biļeti!
Your ticket, please!

Jūs nesēžat savā vietā.
You're in the wrong seat.

Jūsu biļete nav derīga šajā vilcienā.
Your ticket isn't valid on this train.

Jums vajadzēs piemaksāt.
You'll have to pay a supplement.

Jums jāizkāpj nākamajā pieturā.
You have to get off at the next stop.

Vai jūs, lūdzu, varētu pateikt, kad mēs būsim nokļuvuši līdz ...?
Could you let me know when we get to ...?

Vai mēs jau esam pabraukuši garām...?
Have we already passed...?

Kur mēs tagad atrodamies?
Where are we now?

Vai jūs, lūdzu, nepateiktu, kur man jāizkāpj, lai pārsēstos uz vilcienu, kas iet uz ...?
Could you tell me where I have to get off to change to the train to ..., please?

Es aizmirsu vilcienā savu lietussargu.
I've left my umbrella on the train.

ORIENTĒŠANĀS
FINDING YOUR WAY

(12)

apmaldīties
lose one's way
['lu:z wʌnz 'weɪ]

braukt
ar autobusu/taksometru
take a bus/a taxi
['teɪk ə 'bʌs/'tæksɪ]

ceļš
road
[rəʊd]

iela
street
[stri:t]

pa ielu / ceļu
along the street / road/down the street /road
[ə'lɒŋ ðə 'stri:t /'rəʊd/'daʊn ðə 'stri:t /'rəʊd]

kā
how
[haʊ]

kur
where
[weə]

meklēt
look for
['lʊk fə]

nepareizs(-i)
wrong
[rɒŋ]

pagriezties pa labi/kreisi
turn right/left
['tɜ:n 'raɪt/'left]

pāreja (*gājēju*)
pedestrian crossing
[pɪ,destrɪən 'krɒsɪŋ]

pāreja (*pazemes*)
underpass
['ʌndəpɑːs]

šķērsot
cross
[krɒs]

taisni uz priekšu
straight ahead
[ˌstreɪt əˈhed]

tālu
far
[fɑː]

tilts
bridge
[brɪdʒ]

turpināt iet/ braukt
carry on/ keep going
[ˈkærɪˈɒn/ˌkiːp ˈɡəʊɪŋ]

tuvu
near
[nɪə]

tuvākā autobusu pietura
the nearest bus stop
[ðə ˈnɪərəst ˈbʌs stɒp]

virziens
direction
[dɪˈrekʃn]

■ JAUTĀJUMI
QUESTIONS

Atvainojiet, lūdzu!
Excuse me, please.

Kur ir...?
Where is...?

Es meklēju...
I'm looking for...

Es esmu apmaldījies.
I've lost my way.

Kā lai es nokļūstu līdz...?
How do I get to...?

Vai tas ir tālu?
Is it far?

Vai līdz turienei var aiziet kājām?
Can I walk there?

Vai pa šo ceļu var nokļūt līdz...?
Is this the right way to...?

Sakiet, lūdzu, kur te ir tuvākā autobusu pietura/pasts/aptieka?
Could you tell me where the nearest bus stop/post office/chemist's is, please?

Sakiet, lūdzu, kā var nokļūt līdz Tūristu informācijas centram?
Could you tell me how to get to the Tourist Information Centre,
please?

Vai jūs, lūdzu, varētu parādīt man to uz kartes?
Could you show me it on the map, please?

■ ATBILDES
ANSWERS

pretī stacijai, blakus pastam
opposite the station, next to the post office

pāri ielai
across the street

aiz stūra
round the corner

uz stūra
at/on the corner

no jums pa labi
on your right

no jums pa kreisi
on your left

labajā pusē
on the right hand side

kreisajā pusē
on the left hand side

jums priekšā
in front of you

Ejiet taisni uz priekšu! Pagriezieties pa labi/pa kreisi!
Go straight ahead. Turn right/left.

Šķērsojiet ielu! Ejiet pa apakšzemes pāreju!
Cross the street. Go through the underpass.

Pārejiet pāri laukumam/tiltam!
Walk across the square/bridge.

Paejiet garām automašīnu novietnei!
Go past a car park.

Turpiniet iet pa šo ielu un iegriezieties pirmajā/otrajā šķērsielā pa labi/kreisi.
Keep going along/down this street and take the first/second turning on the right/left.

Turpiniet iet uz priekšu, kamēr jūs nonāksiet līdz luksoforam/krustojumam/gājēju pārejai!
Carry on until you get to the traffic lights/cross-roads/the pedestrian crossing.

Jūs ejat nepareizā virzienā. Jums jāgriežas atpakaļ.
You're going the wrong way. You have to turn round.

Es eju uz to pusi. Es jums parādīšu.
I'm going that way. I'll show you.

Tas ir tajā virzienā, bet es precīzi nezinu, kur.
It's in that direction, but I don't know where exactly.

Ejiet pa šo ielu un pajautājiet vēlreiz!
Go along this street and ask again.

Tas ir pilsētas otrā malā. Iesaku jums braukt ar autobusu vai ar taksometru.
It's on the other side of the town. You'd better take a bus or a taxi.

TAKSOMETRS
13 TAXI

aizvest (*līdz*)
take (*to*)
[teɪk]

iekāpt
get in
['get 'ɪn]

ieslēgt skaitītāju
turn on the meter
['tɜːn ɒn ðə 'miːtə]

izkāpt
get out
['get 'aʊt]

izsaukt /pasūtīt taksometru
call a taxi
['kɔːl ə'tæksɪ]

pilsētas centrs
city/town centre
[,sɪtɪ/,taʊn 'sentə]

taksometru pietura
taxi rank
['tæksɪ ræŋk]

kvīts
receipt
[rɪ'siːt]

Uz šo adresi, lūdzu!
To this address, please.

Uz pilsētas centru, lūdzu!
To the city/town centre, please.

Uz lidostu, lūdzu!
To the airport, please.

Uz staciju, lūdzu!
To the station, please.

Vai šeit tuvumā ir taksometru pietura?
Is there a taxi rank near here?

Kur šeit tuvumā var dabūt taksometru?
Where can I get a taxi around here?

Kā es varu izsaukt taksometru?
How can I call a taxi?

Lūdzu, pasūtiet man taksometru!
Could you call a taxi for me, please?

Cik tālu ir līdz...?
How far is it to...?

Cik maksā brauciens līdz...?
How much is the trip to...?

Lūdzu, brauciet mazliet ātrāk! Es steidzos.
Could you speed up a little, please? I'm in a hurry.

Lūdzu, brauciet mazliet lēnāk!
Could you slow down a little, please?

Es vēlos šeit izkāpt, lūdzu.
I'd like to get out here, please.

Lūdzu, uzgaidiet! Es atgriezīšos pēc piecām minūtēm.
Could you wait for me, please? I'll be back in five minutes.

Man vajadzīga kvīts.
I need a receipt.

Paturiet atlikumu!
Keep the change.

14 VIETĒJAIS SABIEDRISKAIS TRANSPORTS
LOCAL PUBLIC TRANSPORT

■ 14.1. AUTOBUSS
BUS

autobusu pietura
bus stop
['bʌsstɒp]

autoosta
bus station
['bʌsˌsteɪʃn]

braukt ar autobusu
take a bus/ go by bys
['teɪk ə'bʌs/'gəʊ baɪ 'bʌs]

cik bieži
how often
[ˌhaʊ 'ɒfn]

iet/ kursēt *(par autobusu)*
run/ go
[rʌn/gəʊ]

izkāpt
get off
['get 'ɒf]

pabraukt garām
pass
[pɑːs]

Atvainojiet, lūdzu. Kur ir tuvākā autobusu pietura?
Excuse me, please. Where is the nearest bus stop?

Kur atrodas autoosta?
Where is the bus station?

Vai 20. autobuss šeit pietur?
Does the number 20 stop here?

Vai jūs nezināt, kad jābūt nākamajam 10. autobusam?
Excuse me, when the next number 10 is due?

Cik bieži iet 15. autobuss?
How often does the number 15 run?

Kad iet pēdējais autobuss?
When is the last bus?

Vai šis autobuss iet uz lidostu?
Does this bus go to the airport?

Kādi autobusi iet uz pilsētas centru?
Which buses go to the city centre?

Vai uz turieni iet autobuss?
Does a bus go there?

Ar kādu autobusu es varu nokļūt tur?
Which bus do I take to get there?

No kurienes atiet autobuss?
Where does the bus go from?

Lūdzu, divas (biļetes) līdz stacijai!
Two (tickets) to the station, please.

Lūdzu, pasakiet, kad man jāizkāpj!
Please tell me when to get off.

Vai jūs, lūdzu, nepateiktu, kad man jāizkāpj, lai nokļūtu uz ...?
Could you tell me where I have to get off for ..., please?

Kur mēs pašlaik esam?
Where are we now?

Vai mēs jau esam pabraukuši garām ...?
Have we already passed ...?

Vai jūs varētu man pateikt, kad būsim nokļuvuši līdz ...?
Could you let me know when we get to ...?

Es vēlos izkāpt nākamajā pieturā.
I'd like to get off at the next stop.

14.2. METRO
THE UNDERGROUND

braukt ar metro
go by the underground
['gəʊ baɪ ðɪ 'ʌndəgraʊnd]

braukšanas karte
travelcard
['trævlˌkɑːd]

izkāpt
get off
['get 'ɒf]

līnija
line
[laɪn]

metro stacija
underground station
[ˌʌndəgraʊnd 'steɪʃn]

nākošais
next
[nekst]

nokļūt
get to
['get tə]

pārsēsties
change lines
['tʃeɪndʒ 'laɪnz]

pietura
stop
[stɒp]

Vai es varu braukt ar metro?
Can I go by the underground?

Kur ir tuvākā metro stacija?
Where is the nearest underground station?

Kā var nokļūst līdz Britu muzejam?
How do I get to the British Museum?

Vistuvāk Britu muzejam ir *Tottenham Court Road* stacija.
The nearest station to the British Museum is Tottenham Court
Road.

**Tā atrodas uz divām līnijām: uz Centrālās līnijas un uz Ziemeļu
līnijas.**
It's both on the Central line and the Northern line.

Kā var nokļūt no Viktorijas stacijas līdz *Oxford Circus* stacijai?
How do I get from Victoria to Oxford Circus?

Vislabāk ir braukt pa Viktorijas līniju.
It's best to take the Victoria line.

Pa kuru līniju var aizbraukt uz Hītrovas lidostu?
Which line goes to the Heathrow Airport?

Jums jābrauc pa Pikadilija līniju.
You have to take the Piccadilly line.

Kur man jāizkāpj, lai nokļūtu līdz Parlamentam?
Where do I get off for the Houses of Parliament?

Kāda ir nākamā pietura?
What's the next stop?

Vai man jāpārsēžas? Kur?
Do I have to change lines? Where?

■ **INFORMĀCIJA PAR LONDONAS METRO**
INFORMATION ABOUT THE LONDON UNDERGROUND (*THE TUBE*)

Londonas metro ir 9 līnijas.
There are 9 underground lines: Bakerloo, Northern, District, Circle,
Victoria, Metropolitan, Jubilee, Central, Piccadilly.

Daudzās stacijās ir iespējams pārsēsties no vienas līnijas uz otru.
There are lots of stations where it is possible to change lines.

Ir iespējams nopirkt vienas dienas braukšanas karti, kas ļauj neierobežoti pārvietoties ar autobusu, vilcienu vai metro pa visu Londonas teritoriju.
You can buy a one-day Travel card which allows you unlimited travel by bus, train, or tube in the greater London area.

Ir braukšanas karte, ar kuru var braukt ar autobusiem vai metro pirmajā satiksmes zonā.
You can buy a special Travel card which includes travel on buses and the tube in the central zone.

Metro ir 6 satiksmes zonas. 1. zonā ietilpst Londonas centrs. Lūdzu pārliecinieties, vai jūsu biļete ir derīga visās zonās, caur kurām jums jābrauc. Ja biļete nav derīga, jums būs jāmaksā 10 māciņu liela soda nauda.
The Tube is divided into six fare zones. Zone 1 covers central London. Please make sure your ticket covers all the zones you will be travelling through. If it doesn't, you will be liable to a £ 10 penalty fare.

Metro stacijās ir automāti biļešu kontrolei. Ievietojiet tajā savu biļeti; to izņemot, barjera atbrīvo ceļu. Ja pēc brauciena jūsu biļete vairs nav derīga nākamajam braucienam, barjera atbrīvos izeju, taču biļeti no automāta atpakaļ nesaņemsiet.
Underground stations now have automatic ticket gates. Simply insert your ticket face up, then retrieve it to open the gate. At the end of the journey, if the value of travel on your ticket is used up, the gate will open but your ticket will be retained.

Londonas metro smēķēt ir aizliegts.
Smoking is not permitted on the London Underground.

AUTOMAŠĪNA
CAR

15

15.1. AUTOMAŠĪNAS NOVIETOŠANA
PARKING

autostrāde
motorway
['məʊtəweɪ]

cik ilgi
how long
[ˌhaʊ 'lɒŋ]

novietot automašīnu
park (*a car*)
[pɑːk]

nedrīkst novietot automašīnu
no parking
['nəʊ 'pɑːkɪŋ]

pilsētas centrs
city centre
[ˌsɪtɪ 'sentə]

tur
there
[ðeə]

tuvumā
near here
['nɪə ˌhɪə]

Kur es varu novietot automašīnu?
Where can I park?

Vai šeit tuvumā ir autostāvvieta?
Is there a car park (parking place) near here?

Tur ir automašīnu novietošanas laukums.
There is a car park / parking place.

Vai var šeit novietot mašīnu?
Can I park here?

Uz cik ilgu laiku es šeit varu novietot mašīnu?
How long can I park here?

Cik jāmaksā stundā par automašīnas novietošanu?
How much is it per hour?

15.2. NEGADĪJUMI CEĻĀ AR AUTOMAŠĪNU
CAR PROBLEMS/BREAKDOWN

autovadītāja tiesības
driving licence
['draɪvɪŋ ˌlaɪsəns]

iedarbināt mašīnu
start a car
['stɑːt əˈkɑː]

reģistrācijas numurs
registration number
[ˌredʒɪ'streɪ∫n ˌnʌmbə]

paņemt tauvā
tow
[təʊ]

tehniskās apkopes stacija
garage
['gærɑːdʒ]

Vai jūs varētu man palīdzēt?
Could you give me a hand?

Man vairs nav benzīna.
I've run out of petrol.

Nevaru iedarbināt mašīnu.
The car won't start.

Es esmu atstājis/atstājusi mašīnas atslēgas mašīnā, un mašīna ir aizslēgta.
I've locked the keys in my car.

Vai jūs varētu piezvanīt uz tehniskās apkopes staciju/ātrajai palīdzībai?
Could you call a garage/an ambulance for me?

Vai jūs varētu mani aizvest līdz tehniskās apkopes stacijai/telefona automātam?
Could you give me a lift to a garage/a phone booth?

Vai jūs varētu aizvilkt manu mašīnu līdz tehniskās apkopes stacijai?
Could you tow my car to a garage?

Mana mašīna atrodas... My car's standing in...	**Manas mašīnas numurs ir ...** My car number is ...
Ceļa policiju, lūdzu! The street police, please!	**Lūdzu, manas mašīnas dokumenti.** Here are my car papers.

Mana mašīna reģistrēta Latvijā.
My car is registered in Latvia.

15.3. DEGVIELAS UZPILDES STACIJĀ
AT THE PETROL STATION

augstākās kvalitātes benzīns super ['su:pə]	**benzīns** petrol ['petrəl]
benzīna tvertne petrol tank ['petrəl ,tæŋk]	**dīzeļdegviela** diesel ['di:zl]
eļļas līmenis oil level ['ɔil ,levl]	**etilētais benzīns** unleaded petrol [ʌn'ledɪd]
spiediens pressure ['preʃə]	**ūdens** water ['wɔ:tə]

Kur ir tuvākā degvielas uzpildes stacija?
Where is a petrol station near here?

Vai šeit tuvumā ir degvielas uzpildes stacija?
Is there a petrol station near here?

Lūdzu, uzpildiet pilnu tvertni!
Fill the tank up, please.

Man, lūdzu, piecus litrus etilētā benzīna.
I would like five litres of unleaded petrol.

Cik maksā litrs/galons benzīna?
How much is one litre/gallon of petrol?

Es vēlos benzīnu par visām 20 mārciņām.
I would like 20 pounds (£) worth of petrol, please.

Kur ir gaisa uzpilde riepās? **Kur ir ūdens?**
Where is the air line? Where is the water?

Vai jūs varētu pārbaudīt spiedienu riepās/eļļas līmeni?
Could you check the tyre pressure/the oil level?

Lūdzu, apmainiet eļļu!
Could you change the oil, please?

Lūdzu, notīriet logus/priekšējo stiklu!
Could you clean the windows/the windscreen, please?

Lūdzu, nomazgājiet mašīnu!
Could you give the car a wash, please?

Vai es varu norēķināties ar kredītkarti?
Can I pay by credit card?

15.4. TEHNISKĀS APKOPES STACIJĀ
AT THE GARAGE

kvīts
receipt
[rɪ'siːt]

labot/remontēt	**mainīt**
fix	change
[fɪks]	[tʃeɪndʒ]

rezerves daļas	**rezerves ritenis**
spare parts	spare wheel
['speəpɑːts]	['speəwiːl]

salūzt/sabojāties (*par mašīnu*)	**tecēt**
break down	leak
['breɪk 'daʊn]	[liːk]

Mana mašīna ir sabojājusies.
My car's broken down.

Iespējams, kaut kas nav kārtībā ar...
There's probably something wrong with...

Mašīnu nevar iedarbināt.	**Riepa ir tukša.**
The car won't start.	The tyre is flat.

Akumulators ir izlādējies.	**Eļļa tek.**
The battery is flat.	The oil is leaking.

Vai jūs varat uzlikt jaunu priekšējo stiklu?
Can you put in a new windscreen?

Vai jūs varat apmainīt šo riteni?
Can you change this wheel?

Vai jums ir ... rezerves daļas?
Have you got ... spare parts?

Vai jūs varat salabot manu mašīnu?
Can you fix my car?

Kurā tehniskās apkopes stacijā man var palīdzēt?
Which garage can help me?

Vai jūs varētu salabot mašīnu tā, lai es varētu nokļūt līdz...?
Can you fix the car so it'll get me to...?

Kad mašīna būs gatava?
When will my car be ready?

Vai es varu šeit pagaidīt, kamēr tā tiks salabota?
Can I wait for it here?

Cik maksās remonts?
How much will it cost?

Vai es varētu saņemt kvīti, ko iesniegt apdrošināšanai?
Can I have a receipt for the insurance?

15.5. AUTOMAŠĪNAS NOMĀŠANA
RENTING A CAR

apdrošināšana insurance [ɪnˈʃʊərəns]	**iemaksa** deposit [dɪˈpɒzɪt]
lētāks(-āka) cheaper [ˈtʃiːpə]	**lielāks(-āka)** larger [ˈlɑːdʒə]
mazāks(-āka) smaller [ˈsmɔːlə]	**nomāt** rent [rent]

pagarināt
extend
[ɪkˈstend]

Es gribu iznomāt mašīnu uz vienu/divām... dienu(-ām)/nedēļu(-ām).
I'd like to rent a car for one/two... days/weeks.

Cik jāmaksā dienā/nedēļā?
How much is that per day/week?

Cik jāiemaksā?
How much is the deposit?

Vai summā ir iekļauta benzīna cena/apdrošināšanas maksa?
Does that include petrol/insurance?

Vai jums ir lielāka/mazāka/lētāka mašīna?
Do you have a larger/smaller/cheaper car?

Kas jādara, ja mašīna sabojājas?
What do we do if the car breaks down?

Vai man mašīna jānogādā atpakaļ šeit?
Must I return the car here?

Es vēlētos to atstāt...
I'd like to leave it in...

Kāda degviela mašīnai nepieciešama?
What sort of fuel does the car take?

Es gribētu pagarināt nomas līgumu.
I'd like to extend the rental contract.

▰▰ 15.6. AUTOMAŠĪNAS SASTĀVDAĻAS UN DETAĻAS
THE PARTS OF A CAR

aizdedze
ignition
[ɪgˈnɪʃn]

aizdedzes atslēga
ignition key
[ɪgˈnɪʃn kiː]

aizdedzes sveces
sparking plugs
[ˈspɑːkɪŋ plʌgz]

aizmugurējais lukturis
rear light
[ˈrɪə laɪt]

akselerators/gāzes pedālis
accelerator/gas pedal
[əkˈseləreɪtə/gæs ˌpedl]

akumulators
battery
[ˈbætrɪ]

amortizators
shock absorber
[ˈʃɒk æbˌsɔːbə]

antena
aerial
[ˈeərɪəl]

atpakaļskata spogulis
rear-view mirror
[ˌrɪəvjuːˈmɪrə]

ātruma pārslēgs
gear lever
[ˈgɪəˌliːvə]

bagāžnieks
boot
[buːt]

bamperis
bumper
[ˈbʌmpə]

benzīna tvertne
petrol tank
[ˈpetrəl ˌtæŋk]

bremžu signāls
brake light
[ˈbreɪk laɪt]

bremžu diski
brake discs
[ˈbreɪk ˌdɪsks]

brīdinājuma lukturis
warning light
[ˈwɔːnɪŋ laɪt]

brīdinājuma zīme
warning sign
[ˈwɔːnɪŋ saɪn]

cilindrs
cylinder
[ˈsɪlɪndə]

dekoratīvais disks
hubcap
['hʌbkæp]

drošibas josta
safety belt
['seɪftɪbelt]

eļļas sūknis
oil pump
['ɔɪlpʌmp]

ģenerators
dynamo
['daɪnəməʊ]

izpūtējs
exhaust pipe
[ɪg'zɔːst paɪp]

miglas lukturis
fog lamp
['fɒg læmp]

pedālis
pedal
['pedl]

priekšējais stikls
windscreen
['wɪndskriːn]

ritenis
wheel
[wiːl]

rokas bremze
handbrake
['hændbreɪk]

degvielas sūknis
fuel filter/pump
['fjuːəl ˌfɪltə/pʌmp]

durvis
door
[dɔː]

gaisa filtrs
air filter
['eəfɪltə]

iekšējais spogulis
inside mirror
[ˌɪnsaɪd 'mɪrə]

kloķvārpsta
crank shaft
['kræŋkʃɑːft]

motora bloks
engine block
['endʒɪn ˌblɒk]

priekšējais lukturis
headlight
['hedlaɪt]

priekšējā stikla tīrītājs
windscreen-wiper
['wɪndskriːn 'waɪpə]

riepa
tyre
[taɪə]

sadales vārpsta
camshaft
['kæmʃɑːft]

sajūgs
clutch
[klʌtʃ]

stūre
steering-wheel
['stɪərɪŋwiːl]

ūdens sūknis
water pump
['wɔːtə,pʌmp]

ventilis
valve
[vælv]

ziemas riepas
winter tyres
['wɪntə ,taɪəz]

spidometrs
speedometer
[spɪ'dɒmɪtə]

trokšņa slāpētājs
silencer
['saɪlənsə]

ventilators
fan
[fæn]

virzulis
piston
['pɪstən]

TŪRISTU INFORMĀCIJAS CENTRĀ

AT THE TOURIST INFORMATION CENTRE

16

brošūra
leaflet/brochure
['liːflɪt/'brəʊʃə]

ceļvedis
guidebook
['gaɪdbʊk]

ekskursija ar autobusu gida pavadībā
guided bus tour
[ˌgaɪdɪd 'bʌstʊə]

ekskursija kājām gida pavadībā
guided walk
[ˌgaɪdɪd 'wɔːk]

ieejas maksa
entrance fee/admission fee/price
['entrəns ˌfiː/əd'mɪʃn ˌfiː/ˌpraɪs]

ieteikt
recommend
[ˌrekə'mend]

ievērojamas vietas
places of interest/sights
['pleɪsɪz əv'ɪntrəst/saɪts]

ievērojamu vietu apskate
sightseeing
['saɪtˌsiːɪŋ]

izbraukumi ārpus pilsētas
out of town tours
[aʊt əv'taʊn ˌtʊəz]

karte	**maršruts**
map	route
[mæp]	[ruːt]

naktsmītne	**parādīt uz kartes**
accommodation	point out on the map
[ə'kɒmə'deɪʃn]	['pɔɪnt 'aʊt ɒn ðə 'mæp]

uzturēties
stay
[steɪ]

Kur atrodas Tūristu informācijas centrs?
Where's the Tourist Information Centre?

Vai jums ir pilsētas karte/ceļvedis/brošūras?
Do you have a city map/a guidebook/any leaflets, brochures?

Vai jūs varētu sniegt man informāciju par ... ?
Could you give me some information about ... ?

Mēs tikko kā ieradāmies šeit un plānojam palikt trīs vai četras dienas.
We've just arrived and are planning on staying three or four days.

Vai jūs varētu ieteikt mums kādu viesnīcu, kur ir brīvas vietas?
Could you give us some advice about available accommodation?

Ja jūs meklējat samērā lētas naktsmītnes, es jums ieteiktu pamēģināt ... .
If you're looking for relatively cheap accommodation, you could try ... .

Ja jūs vēlaties apmesties augstākas klases viesnīcā, es ieteiktu doties uz ... .
If you want a better class of hotel, you could go to ... .

Kur tā atrodas?
Where is it located?

Tā atrodas centrā/klusā rajonā/pusjūdzes attālumā no pilsētas centra/netālu no ... .
It is centrally located/in a quiet area/half a mile from the city centre/near ..., close to ... .

Kā es varu turp nokļūt no šejienes?
How do I get there from here?

Jūs varat braukt ar autobusu.
You can take a bus.

Cik ilgā laikā turp var nokļūt?
How long does it take to get there?

Mēs uzturēsimies šeit dažas dienas un gribētu apskatīt ievērojamākās vietas.
We'll be here for a few days and we'd like to see the main places of interest.

Mēs interesējamies par ... .
We're interested in ... .

Es ieteiktu jums apskatīt ... .
I suggest you should have a look at ... .

Vai jūs varētu tās parādīt uz kartes?
Could you point them out on the map?

Vai ir kādas ekskursijas kājām gida pavadībā?
Are there any guided walks?

Vai var noligt gidu, kas runā angļu/vācu/krievu valodā?
Can we hire a guide who speaks English/German/Russian?

Vai ir kādas ekskursijas ar autobusu/izbraucieni ārpus pilsē-tas/pa tuvāko apkārtni?
Are there any bus tours/out of town trips/trips around the area?

Kur ir iekāpšana?
Where do we get on?

Kur var nopirkt biļeti?
Where do I get a ticket?

To var nopirkt autobusā.
You can buy it on the bus.

Tā ir derīga 24 stundas.
It's valid for 24 hours.

Vai ir kādi izbraucieni ar kuģi pa upi?
Are there any boat cruises along the river?

No kurienes atiet kuģis?
Where does the boat leave from?

Kur atrodas Pils muzejs?
Where's the Castle Museum?

Kad tas ir atvērts/slēgts?
When is it open/closed?

Tas ir atvērts katru dienu, izņemot otrdienas.
It is open daily, except Tuesdays.

Cik ir ieejas maksa?
How much is the entrance?/What's the admission fee?

Vai ir atlaide bērniem/studentiem?
Is there a discount for children/students?

Vai grupām ir atlaide?
Is there a group discount?

20 cilvēku grupām ir atlaide.
There's a discount for groups of 20.

Vai jūs varat ieteikt kādu īpaši labu restorānu?
Can you recommend an especially good restaurant?

Paldies par palīdzību!
Thank you for your help!

VIESNĪCA
HOTEL

17

aizbraukšana
departure
[dɪˈpɑːtʃə]

apkure
heating
[ˈhiːtɪŋ]

bagāža
luggage/baggage
[ˈlʌɡɪdʒ/ˈbæɡɪdʒ]

duša
shower
[ˈʃaʊə]

gaisa kondicionēšana
air-conditioning
[ˈeə kənˌdɪʃnɪŋ]

gultas veļa
bed linen
[ˈbed ˌlɪnɪn]

ieslēgt/izslēgt
turn on/off
[ˈtɜːn ˈɒn/ˈɒf]

aizpildīt veidlapu
fill in a form
[ˈfɪl ɪn əˈfɔːm]

atslēga
key
[kiː]

divvietīgs numurs
double room
[ˌdʌbl ˈrʊm]

dvielis
towel
[ˈtaʊəl]

gulta
bed
[bed]

ierašanās
arrival
[əˈraɪvl]

izrakstīšanās (*no viesnīcas*)
check-out
[ˈtʃekaʊt]

lifts
lift/elevator (*AmE*)
[lɪft/'elɪveɪtə]

pasūtīt/rezervēt istabu viesnīcā
make a reservation
['meɪk ə,rezə'veɪʃn]

reģistrācija
check-in/registration
['tʃekɪn/,redʒɪ'streɪʃn]

reģistrācijas vieta
reception
[rɪ'sepʃn]

rēķins
bill
[bɪl]

restorāns
restaurant
['restərɒnt]

rezerves izeja
fire exit
['faɪə ,eksɪt]

sega
blanket
['blæŋkɪt]

spilvens
pillow
['pɪləʊ]

stāvs
floor
['flɔː]

pirmais stāvs
ground floor/first floor (*AmE*)
[,graʊnd 'flɔː/,fɜːst 'flɔː]

piektais stāvs
fourth floor/fifth floor (*AmE*)
[,fɔːθ 'flɔː/,fɪfθ 'flɔː]

vanna
bath
[bɑːθ]

vannasistaba
bathroom
['bɑːθrʊm]

viesnīca
hotel
[,həʊ'tel]

▓▓ 17.1. VIESNĪCAS REZERVĒŠANA
MAKING A RESERVATION

Es vēlētos rezervēt viesnīcas numuru.
I'd like to make a reservation, please.

Kad jūs vēlētos to rezervēt?
When would you like the reservation for?

No 26. līdz 28. jūlijam.
It's from the 26th to the 28th of July.

Vienvietīgu vai divvietīgu numuru?
Is that a single or a double room?

Vienvietīgu, lūdzu.
A single room, please.

Cik tas maksā, lūdzu?
Could you tell me the price, please?

65 mārciņas diennaktī.
That's £ 65 per night.

Ieskaitot brokastis.
That's including breakfast.

Vai numurā ir vannasistaba?
Does the room have a private bathroom?

Visos numuros ir vannasistaba ar dušu.
All rooms have a private bathroom with a shower.

Duša atrodas tajā pašā stāvā.
The shower is on the same floor.

Pasakiet, lūdzu, savu adresi un telefona numuru!
Can I have your name, address and telephone number, please?

Mūsu viesnīcā nav brīvu vietu.
We're fully booked.

Vai jūs varat man ieteikt kādu labu/lētu viesnīcu?
Can you recommend me any good/cheap hotel?

Vai tā ir centrā/klusā vietā?
Is it in the centre/in a quiet place?

17.2. IERAŠANĀS
ARRIVAL

Man ir pasūtīta istaba. Mans uzvārds ir...
I've got a reservation. My name is...

Es pārbaudīšu.
I'll check.

Jā, vienvietīgs numurs uz divām diennaktīm.
Yes, a single room for two nights.

Cik ilgi jūs paliksiet? **Jūsu pasi, lūdzu!**
How long will you be staying? Could I see your passport, please?

Lūdzu, aizpildiet šo veidlapu un parakstieties šeit!
Could you fill in this form, please, and sign here?

VIESU REĢISTRĀCIJAS VEIDLAPA
REGISTRATION FORM

Ierašanās datums Date of arrival	**Aizbraukšanas datums** Date of departure
Istabas numurs Room number	
Vārds Forename	**Uzvārds** Family name
Dzimums (S, V) Sex (F, M)	
Dzimšanas datums Date of birth	**Dzimšanas vieta** Place of birth
Nodarbošanās Occupation	**Dzīvesvieta** Place of residence
Pases/personas apliecības numurs Passport/identification card number	
Izdošanas vieta un datums Place and date of issue	**Paraksts** Signature

Lūdzu, jūsu atslēga!
Here's your key.

Jūsu istaba ir pirmajā stāvā/piektajā stāvā.
Your room is on the ground/first floor (*AmE*)/fourth floor/fifth floor
(*AmE*).

Lieciet, lūdzu, aiznest bagāžu uz manu istabu!
Could you have the luggage taken to my room?

Lūdzu, pamodiniet mani pusseptiņos no rīta!
Could I have an early morning call, at 6.30?

17.3. DAŽĀDI JAUTĀJUMI
QUESTIONS

Cikos ir brokastis?
What time is breakfast?

Kurā stāvā atrodas mana istaba?
Which floor is my room on?

Kur ir lifts/restorāns/bārs?
Where's the lift/restaurant/bar?

Kur es varu novietot savu automašīnu?
Where can I park my car?

Mūsu garāžā/stāvvietā.
In our garage/car park.

Kur var apmainīt naudu?
Where can I exchange money?

Kur ir telefona automāts?
Where's the public phone?

Kur var nopirkt pastkartes/telekarti/braukšanas karti?
Where can I get postcards/a phonecard/a travel card?

Vai man ir pienākusi kāda vēstule?
Is there any mail for me?

Kā var nokļūt/aizbraukt līdz pilsētas centram/lidostai?
How can I get to the city centre/the airport?

Kā var pasūtīt biļetes uz teātra izrādi/koncertu?
How can I book tickets for a theatre performance/a concert?

Lūdzu, rēķinu!
Can I have my bill, please?

Es rīt aizbraucu.
I'm leaving tomorrow.

Līdz cikiem man/mums jāatbrīvo istaba?
By what time do I/we have to check out?

▰▰▰ 17.4. AIZBRAUKŠANA
DEPARTURE

Vai es varētu atstāt savu bagāžu šeit līdz aizbraukšanai?
Could I leave my luggage here until departure?

Vai es varu norēķināties ar kredītkarti vai eiročeku?
Can I pay by credit card or eurocheque?

Vai jūs ņemat eiročekus?   **Es maksāšu ar kredītkarti.**
Do you take eurocheques?   I'll pay by credit card.

Lūdzu, izsauciet man taksometru!
Could you get me a taxi, please?

Paldies par viesmīlību.
Thank you for your hospitality.

■■■ 17.5. PROBLĒMAS UN SŪDZĪBAS
PROBLEMS AND COMPLAINTS

Istaba nav uzkopta.
The room hasn't been cleaned.

Es aizmirsu atslēgu savā istabā.
I left the key in my room.

Istabā ir pārāk auksts/karsts.
It's too cold/hot in the room.

Lūdzu, ieslēdziet/izslēdziet apkuri!
Could you turn on/turn off the heating, please?

Lūdzu, iedodiet man vēl vienu segu/spilvenu!
Could I have another blanket/pillow, please?

Vannasistabā nav gaismas.
The bathroom light doesn't work.

Nav siltā ūdens/tualetes papīra.
There's no hot water/toilet paper.

Duša ir salūzusi.
The shower doesn't work.

Slēdzene ir salūzusi.
The lock doesn't work.

Es nevaru atvērt logu savā istabā.
The window in my room is jammed.

Tualete ir aizsprostojusies.
The toilet is clogged.

KEMPINGS
18 CAMPSITE

duša
shower
['ʃaʊə]

gāzes balons
gas bottle
['gæs ,bɒtl]

ierādīt vietu
allocate a site
['æləʊkeɪt ə'saɪt]

izvēlēties vietu
pick a site
['pɪk ə'saɪt]

īrēt
hire
['haɪə]

kempings
campsite
['kæmpsaɪt]

mājiņa
cabin
['kæbɪn]

mājiņa uz riteņiem
caravan/ mobile home
['kærəvæn/,məʊbaɪl 'həʊm]

piepūšamais matracis
airbed
['eəbed]

nelīdzens
uneven
[,ʌn'iːvn]

saliekamā gulta
camp bed
[,kæmp 'bed]

telts
tent
[tent]

Vai mēs drīkstam šeit uzcelt telti?
Can we camp here overnight?

Vai mēs paši varam izvēlēties vietu?
Can we pick our own site?

Jums ierādīs vietu.
You'll be allocated a site.

Vai drīkst novietot automašīnu blakus teltij?
Can we park the car next to the tent?

Vai jums ir kāda cita brīva vieta?
Do you have any other sites available?

Šeit ir pārāk liels troksnis.   **Šī vieta ir ļoti dubļaina.**
It's too noisy here.   This site is very muddy.

Zeme ir ļoti cieta/nelīdzena.   **Vai jums ir brīvas vietas?**
The ground is too hard/uneven.   Do you have any vacancies?

Vai kempings atrodas zem jumta?
Is the campsite sheltered?

Vai jūs izīrējat mājiņas/mājiņas uz riteņiem?
Do you have any cabins/caravans, mobile homes for hire?

Cik maksā naktsmītne vienai personai vienu nakti?
How much is it per night per person?

Mēs gribētu uzturēties ... naktis.
We'd like to stay for ... nights.

Vai kempingā ir dušas/vieta, kur pagatavot ēst/veļas mašīnas?
Are there showers/cooking facilities/washing machines on the camp site?

Vai jūs pārdodat gāzes balonus?
Do you sell gas bottles?

19 MALTĪTES
MEALS

19.1. BROKASTIS
BREAKFAST

'kontinentālās' brokastis (*tēja vai kafija, maizīte ar ievārījumu*)
'continental' breakfast (*tea or coffee, a roll with jam*)

Mūsdienās lielākā daļa britu ēd 'kontinentālās' brokastis. Tajās ietilpst:
Nowadays most British people have a 'continental-type' breakfast.
This includes:

graudaugu (kukurūzas) pārslas ar pienu
cereal (corn-flakes) with milk
['sɪərɪəl ('kɔ:nfleɪks) wɪð 'mɪlk]

augļu sula　　　　　　　　　**tēja vai kafija**
fruit juice　　　　　　　　　　tea or coffee
[ˌfru:t 'dʒu:s]　　　　　　　　　['ti: ɔ: 'kɒfɪ]

**grauzdēta maizīte ar sviestu un marmelādi
(apelsīnu ievārījumu)**
toast with butter and marmelade (orange jam)

'angļu' brokastis (*siltās brokastis*)
full English breakfast (*cooked breakfast*)

Tajās ietilpst 'kontinentālās' brokastis plus:
This includes the 'continental' breakfast plus:

cepts speķis
fried bacon
[ˌfraɪd 'beɪkn]

cepta vai vārīta ola, vai olu kultenis
fried or boiled egg, or scrambled eggs
[ˌfraɪd/ˌbɔɪld 'eg/ˌskræmbld 'egz]

cepta desa
fried sausage
[ˌfraɪd 'sɒsɪdʒ]

cepti tomāti
fried tomatoes
[ˌfraɪd tə'mɑːtəʊz]

Vai jūs vēlaties/vēlētos tēju vai kafiju?
Would you like tea or coffee?

Lūdzu, kafiju.
Coffee, please.

Melnu kafiju vai ar pienu?
Black or white coffee?

Lūdzu, melnu kafiju.
Black, please.

Vai jūs dzerat tēju ar pienu?
Do you take milk in your tea?

Jā, lūdzu./Nē, paldies.
Yes, please./No, thank you.

ieteikt
recommend
[ˌrekə'mend]

oficiante
waitress
['weɪtrɪs]

oficiants
waiter
['weɪtə]

pasūtīt (*ēdienu*)
order
['ɔːdə]

pasūtīt galdiņu
book a table
['bʊk ə'teɪbl]

porcija
helping
['helpɪŋ]

pusdienas (*pusdienlaikā*)
lunch
[lʌntʃ]

rēķins
bill
[bɪl]

vakariņas (*ar vairākiem ēdieniem vēlā pēcpusdienā vai vakarā*)
dinner
['dɪnə]

vieglas vakariņas
supper
['sʌpə]

▓▓▓ 19.2. ĒDIENI
DISHES

bifšteks
beefsteak
['biːfsteɪk]

cepetis
roast
[rəʊst]

cepts cālis
fried chicken
[ˌfraɪd 'tʃɪkɪn]

cūkas gaļas karbonāde
pork chop
[ˌpɔːk 'tʃɒp]

eļļā cepti kartupeļi (*'frī' kartupeļi*)
chips/French fries (*AmE*)
[tʃɪps/ˌfrentʃ 'fraɪz]

firmas ēdiens
speciality of the house
[ˌspeʃɪ'ælɪtɪ əv ðə 'haʊs]

gaļas buljons
broth
[brɒθ]

gaļas ēdieni
meat dishes
['miːt ˌdɪʃɪz]

jēra gaļas karbonāde
lamb chop
[ˌlæm 'tʃɒp]

kāpostu zupa
cabbage soup
['kæbɪdʒ 'suːp]

kompots
stewed fruit
[ˌstjuːd 'fruːt]

mērce
sauce
[sɔ:s]

gaļas ~
gravy
['greɪvɪ]

salātu ~
dressing
['dresɪŋ]

putukrējums
whipped cream
[ˌwɪpt 'kri:m]

saldais ēdiens
dessert
[dɪ'zɜ:t]

saldējums
ice cream
[ˌaɪs 'kri:m]

sēnes
mushrooms
['mʌʃrʊmz]

biezināta sēņu zupa
cream of mushrooms
['kri:m əv 'mʌʃrʊmz]

teļa gaļas šnicele
veal cutlet
[ˌvi:l 'kʌtlɪt]

tomātu zupa
tomato soup
[tə'mɑːtəʊ 'su:p]

uzkodas
appetizers/starters
['æpɪtaɪzəz/'stɑːtəz]

zivju ēdieni
fish dishes
['fɪʃ ˌdɪʃɪz]

želeja
jelly/jello (*AmE*)
['dʒelɪ/'dʒeləʊ]

▌ 19.3. GARŠA UN PAGATAVOŠANAS VEIDS
TASTE AND METHODS OF COOKING

ass
spicy/hot
['spaɪsɪ/hɒt]

atdzisis
cold
[kəʊld]

cepts (*uz pannas*)
fried
[fraɪd]

cepts (*krāsnī*)
baked
[beɪkt]

garšīgs
tasty/delicious
['teɪstɪ/dɪ'lɪʃəs]

grilēts
grilled
[grɪld]

kūpināts/ žāvēts
smoked
[sməʊkt]

marinēts
pickled
['pɪkld]

nevārīts
raw
[rɔ:]

rūgts
bitter
['bɪtə]

salds
sweet
[swi:t]

sālīts
salty
['sɔ:ltɪ]

sautēts
stewed
[stju:d]

sīksts (*par gaļu*)
tough
[tʌf]

skābs
sour
['saʊə]

svaigs
fresh
[freʃ]

trekns (*par ēdienu*)
rich
[rɪtʃ]

vārīts
boiled
['bɔɪld]

▰▰ 19.4. RESTORĀNĀ VAI KAFEJNĪCĀ
IN A RESTAURANT OR A CAFÉ

Vai jūs varat man ieteikt labu restorānu/kafejnīcu?
Can you recommend me a good restaurant/café?

Kur šeit var ātri/lēti paēst?
Where can I have a quick/cheap meal?

Lūdzu, galdiņu četrām personām!
A table for four, please.

Es gribētu pasūtīt galdiņu uz šovakaru.
I'd like to book a table for tonight.

Cik personām?
For how many people is it for?

Un uz cikiem?
And around what time?

Uz astoņiem.
Around eight o'clock.

Vai jums ir rezervētas vietas?
Do you have a reservation?

Mēs pasūtījām galdiņu uz astoņiem.
We booked a table for eight o'clock.

Uz kā vārda?
What name, please?

Lūdzu, nāciet šeit!
This way, please.

Nē, mēs neesam pasūtījuši galdiņu.
No, we haven't booked a table.

Man žēl, bet mums nav brīvu vietu.
I'm afraid we're fully booked.

Vai mums ilgi jāgaida?
Do we have to wait long?

Mums būs brīvs galdiņš pēc piecpadsmit minūtēm.
We'll have a table free in fifteen minutes.

Lūdzu, ēdienkarti!
The menu, please.

Lūdzu, iedodiet mums ēdienkarti/vīna karti!
Could we have the menu/the wine list, please?

Vai jūs vēlētos vispirms kaut ko iedzert?
Would you like to have a drink first?

Vai varat jau pasūtīt?
Are you ready to order?

Mēs vēl neesam izvēlējušies.　　**Ko jūs iesakāt?**
We haven't made a choice yet.　　What do you recommend?

Kādi jums ir vietējie/firmas ēdieni?
What are the specialities of the region/the house?

Kas tas ir? (*norādot ēdienkartē*)　**Kā tas garšo?**
What's this?　　How does it taste?

Es ņemšu šo.　　　　**Es neēdu gaļu/zivis.**
I'll have this.　　　　I don't eat meat/fish.

Vai jums ir veģetārie ēdieni?
Do you have any vegetarian dishes?

Man ir bezsāls diēta.
I'm on a salt-free diet.

Es nevaru ēst treknus/asus ēdienus.
I can't eat fatty/spicy foods.

Kādas uzkodas jūs vēlētos/vēlaties?
What would you like to start with?

Es ņemšu garneles/zivju salātus.
I'll have prawns/fish salad.

Es nevēlos uzkodas.
I'm not having a starter.

Ko jūs vēlētos no otrajiem ēdieniem?
What would you like for the main course?

Es gribētu ceptu cāli un rīsus.
I'd like fried chicken and rice.

Un jums kundze/kungs?
And for you madam/sir?

Es ņemšu to pašu.
I'll have the same.

Ko jūs dzersiet?
What would you like to drink?

Lūdzu, atnesiet mums pudeli baltvīna/minerālūdens!
Could we have a bottle of white wine/mineral water, please?

Vai varētu palūgt vēl mazliet maizes?
Could I have some more bread, please?

Vai jūs vēlaties saldo ēdienu?
Would you like a dessert?

Vai mēs varētu paņemt līdzi atlikušo (*neapēsto*) **ēdienu?**
Could we have a doggy bag, please?

Lūdzu, rēķinu!
The bill, please.

Lūdzu, atnesiet mums rēķinu!
Could we have the bill, please?

Visiem kopā.
All together.

Katrs maksā par sevi.
Everyone pays separately.

Lūdzu, vai mēs nevarētu vēlreiz ieskatīties ēdienkartē?
Could we see the menu again, please?

Paldies, tas ir jums!
Thank you. This is for you.

Paturiet atlikumu!
Keep the change.

Ēdiens bija ļoti garšīgs/lielisks.
The food was delicious/excellent.

■ MENU
ĒDIENKARTE

Starters
Uzkodas

Smoked salmon
Kūpināts lasis

Prawns
Garneles

Salads – ham, chicken
Salāti – šķiņķa, vistas gaļas

Grapefruit cocktail
Greipfrūtu kokteilis

French onion soup
Sīpolu zupa franču gaumē

Main Courses
Otrie ēdieni

Grilled trout with almonds
Grilēta forele ar mandelēm

Roast pork in a cream and mushroom sauce
Cūkgaļas cepetis krējuma un sēņu mērcē

Lamb and mushroom ragout
Jēra gaļas un sēņu ragū

Veal cutlet
Teļa gaļas šnicele

Fried chicken with lemon sauce
Cepts cālis citrona mērcē

**All main courses served with chips
and fresh vegetables or mixed salad**
Visus otros ēdienus pasniedz ar ceptiem
kartupeļiem un svaigiem dārzeņiem vai
jauktajiem salātiem

Desserts
Saldie ēdieni

Fresh fruit salad
Svaigu augļu salāti

Strawberries and whipped cream
Zemenes ar putukrējumu

Bananas with rum
Banāni ar rumu

Strawberry cake
Zemeņu kūka

Apple pie
Ābolkūka

Cheese and biscuits
Siers un cepumi

Ice cream
Saldējums

Aperitifs
Aperitīvi

Cherry liqueur
Kiršu liķieris

Brandy
Konjaks

Vermouth
Vermuts

Sherry
Heress

Whisky
Viskijs

Vodka
Degvīns

Gin
Džins

Wines
Vīni

White wine
Baltvīns

Red wine
Sarkanvīns

Semi-dry wine
Pussausais vīns

Dry wine
Sausais vīns

Port
Portvīns

Champagne
Šampanietis

Hot Drinks
Karstie dzērieni

Coffee
Kafija

Cappuccino
Kapučīno

Tea with milk or lemon
Tēja ar pienu vai citronu

**Hot chocolate with whipped cream
and grated chocolate**
Šokolādes dzēriens ar putukrējumu
un rīvētu šokolādi

Cold Drinks
Aukstie dzērieni

Freshly squeezed orange juice
Svaigi spiesta apelsīnu sula

Apple juice
Ābolu sula

Cranberry juice
Dzērveņu sula

Lemon squash
Citronu dzēriens

Lemonade
Limonāde

Sparkling and still mineral water
Gāzētais un negāzētais minerālūdens

Coca Cola and Diet Coca Cola
Kokakola un diētiskā kokakola

■ SŪDZĪBAS
COMPLAINTS

Es to nepasūtīju.
This is not what I ordered.

Ēdiens ir atdzisis/pārāk sāļš/ass.
The food is cold/too salty/spicy.

Gaļa ir sīksta.
The meat is tough.

Gaļa ir par daudz sacepta/nav labi izcepta.
The meat is overdone/not done.

Lūdzu, atnesiet man kaut ko citu šī ēdiena vietā!
Could I have something else instead of this?

Rēķins nav pareizs.
The bill is not right.

Tā droši vien ir kļūda.
This must be a mistake.

Mums nebija šis ēdiens.
We didn't have this dish.

Pasauciet, lūdzu, zāles pārzini!
Will you call the head waiter, please?

IEPIRKŠANĀS
SHOPPING

20

cena
price
[praɪs]

čeks
cheque
[tʃek]

ceļojuma čeks
traveller's cheque
[ˌtrævləz ˈtʃek]

eiročeks
eurocheque
[ˌjʊərəʊˈtʃek]

kases čeks
receipt
[rɪˈsiːt]

dārgs
expensive
[ɪkˈspensɪv]

izpārdošana
sale
[seɪl]

izmērs/lielums
size
[saɪz]

lēts
cheap
[tʃiːp]

mainīt; naudas atlikums/sīknauda
change
[tʃeɪndʒ]

pārdevējs(-a)
salesperson
[ˈseɪlzpɜːsn]

kase
cash-desk
[ˈkæʃdesk]

pārdot
sell
[sel]

pirkt
buy
[baɪ]

pircējs customer ['kʌstəmə]	**samaksāt** pay [peɪ]
tirgus market ['mɑːkɪt]	**veikals** shop/store (*AmE*) [ʃɒp/stɔː]

▨ 20.1. VISPĀRĒJAS FRĀZES
GENERAL PHRASES

Kur es varu nopirkt...?
Where can I buy/get...?

Es vēlos nopirkt...
I'd like to buy...

Vai šeit tuvumā ir universālveikals/pārtikas lielveikals?
Is there a department store/a supermarket nearby?

Vai jums ir ...?
Do you have ...?/Have you got ...?
du jū hev

Cik tas maksā?
How much is it?

Dodiet man, lūdzu, šo/to!
Can I have this/that, please?

Dodiet man, lūdzu, vienu no šīm/tām atklātnēm!
Can I have one of these/those postcards, please?

Vai jūs vēl kaut ko vēlaties?
Anything else?

Nē, paldies. Tas ir viss.
No, thank you. That's all.

Kur es varu samaksāt?
Where can I pay?

Lūdzu, maksājiet kasē.
Please pay at the cash-desk.

Vai jūs maksāsiet skaidrā naudā?
Will you pay in cash?

Vai es varu maksāt ar kredītkarti?
Can I pay by credit card?

Vai jūs ņemat ceļojuma čekus?
Do you take traveller's cheques?

Atvainojiet, bet jūs kļūdījāties, izdodot man naudas atlikumu.
I'm afraid you've given me the wrong change.

20.2. VEIKALI
SHOPS

alkoholisko dzērienu veikals
off-licence
['ɒf‚laɪsns]

antikvariāts
antique shop
[æn'ti:k ‚ʃɒp]

apavu veikals
shoe shop
['ʃu: ‚ʃɒp]

apģērbu veikals
clothes shop
['kləʊðz ‚ʃɒp]

aptieka
chemist's/pharmacy
['kemɪsts/'fɑːməsɪ]

augļu un dārzeņu veikals
greengrocer's/greengrocery
['gri:n‚grəʊsez/'gri:n‚grəʊsərɪ]

fotopiederumu veikals
camera shop
['kæmərə ‚ʃɒp]

gaļas veikals
butcher's
['bʊtʃəz]

grāmatu veikals
bookshop
['bʊkʃɒp]

konditoreja
cake shop/confectionery
['keɪk ‚ʃɒp/kən'fekʃnrɪ]

lietotu apģērbu veikals
second-hand shop
[‚sekənd'hænd ‚ʃɒp]

maizes veikals
baker's/bakery
['beɪkəz/'beɪkərɪ]

mēbeļu veikals
furniture shop
['fɜ:nɪtʃə ˌʃɒp]

modes preču veikals
boutique
[bu:'ti:k]

pārtikas preču veikals
grocer's/grocery
['grəʊsəz/'grəʊsərɪ]

piena veikals
dairy shop/milk shop
['deərɪ ˌʃɒp/'mɪlk ˌʃɒp]

puķu veikals
florist's/flower shop
['flɒrɪsts/'flaʊə ˌʃɒp]

rakstāmlietu veikals
stationery
['steɪʃnərɪ]

rotaļlietu veikals
toyshop
['tɔɪʃɒp]

mūzikas ierakstu veikals
record shop
['rekɔ:d ˌʃɒp]

sporta piederumu veikals
sports shop
['spɔ:ts ˌʃɒp]

tabakas izstrādājumu veikals
tobacconist's
[tə'bækənɪsts]

universālveikals
department store
[dɪ'pɑːtmənt ˌstɔ:]

zivju veikals
fishmonger's/fish shop
['fɪʃˌmʌngəz/'fɪʃ ˌʃɒp]

20.3. UNIVERSĀLVEIKALS
DEPARTMENT STORE

Nodaļas:
Departments:

ādas izstrādājumi
leather goods
['leðə ˌgʊdz]

apavi
footwear
['fʊtweə]

audumi
fabrics
['fæbrɪks]

dāvanas
gifts
[gɪfts]

fajansa un stikla trauki
crockery and glassware
['krɒkərɪ ənd 'glɑːsweə]

galvassegas
headgear
['hedgɪə]

gatavie vīriešu apģērbi
men's wear
['menz ˌweə]

sporta apģērbi
sportswear
['spɔːtsweə]

dāmu veļa
ladies' underwear/lingerie
['leɪdiːz 'ʌndəweə/'lænʒərɪ]

zeķes
hosiery
['həʊzɪərɪ]

bērnu apģērbi
children's wear
['tʃɪldrənz ˌweə]

elektropreces
electrical appliances
[ɪ'lektrɪkl ə'plaɪənsɪz]

galantērija
haberdashery
['hæbədæʃərɪ]

gatavie sieviešu apģērbi
ladies' wear
['leɪdɪz ˌweə]

saimniecības preces
household appliances
['haʊshəʊld ə'plaɪənsɪz]

veļa
underwear
['ʌndəweə]

vīriešu (kungu) veļa
men's underwear
['menz 'ʌndəweə]

20.4. APĢĒRBI
CLOTHING

apkakle
collar
['kɒlə]

atloks
lapel
[lə'pel]

bikses
trousers
['traʊzəz]

bikškostīms
trouser suit
['traʊzəsu:t]

blūze
blouse
[blaʊz]

džemperis
jumper
['dʒʌmpə]

džinsi
jeans
[dʒi:nz]

fraka
tailcoat
[,teɪl'kəʊt]

jaka (*adīta*)
cardigan
['kɑːdɪgən]

ādas jaka
leather jacket
['leðə ,dʒækɪt]

kabata
pocket
['pɒkɪt]

kaklasaite
tie
[taɪ]

kapuce
hood
[hʊd]

kažoks
fur coat
['fɜːkəʊt]

kleita
dress
[dres]

vakarkleita
evening dress
['iːvnɪŋ ,dres]

krekls
shirt
[ʃɜːt]

sporta krekls (*kokvilnas*)
sweat-shirt
['swetʃɜːt]

teniskrekls (T-krekls)
T-shirt
['tiːʃɜːt]

kombinezons
overalls
['əʊvərɔːlz]

kostīms
suit
[suːt]

džinsa kostīms
denim suit
['denɪm ,suːt]

mētelis
(over) coat
['əʊvəkəʊt]

lietusmētelis
raincoat
['reɪnkəʊt]

vasaras mētelis
summer coat
['sʌmə ,kəʊt]

ziemas mētelis
winter coat
['wɪntə ,kəʊt]

odere
lining
['laɪnɪŋ]

piedurkne
sleeve
[sli:v]

ar garām piedurknēm
long-sleeved
[,lɒŋ'sli:vd]

ar īsām piedurknēm
short-sleeved
[,ʃɔ:t'sli:vd]

bez piedurknēm
sleeveless
['sli:vlɪs]

pulovers
pullover
['pʊl,əʊvə]

rītakleita
dressing-gown
['dresɪŋgaʊn]

smokings
dinner-jacket/tuxedo (*AmE*)
['dɪnə,dʒækɪt/tʌk'si:dəʊ]

sporta tērps
tracksuit
['træksu:t]

svārki
skirt
[skɜ:t]

šorti
shorts
[ʃɔ:ts]

uzvalks
suit
[su:t]

vējjaka (*plāna*)
blazer
['bleɪzə]

vējjaka (*silta*)
anorak/parka
['ænəræk/'pɑːkə]

josta
belt
[belt]

veste
waistcoat/vest (*AmE*)
['weɪskəʊt/vest]

KRĀSAS
COLOURS

balts
white
[waɪt]

brūns
brown
[braʊn]

dzeltens
yellow
['jeləʊ]

melns
black
[blæk]

oranžs
orange
['ɒrɪndʒ]

pelēks
grey
[greɪ]

sarkans
red
[red]

sārts
pink
[pɪŋk]

smilškrāsas
beige
[beɪʒ]

zaļš
green
[griːn]

zils
blue
[bluː]

tumši zils
dark blue
[ˌdɑːk 'bluː]

gaiši zils
light blue
[ˌlaɪt 'bluː]

vienkrāsains
plain
[pleɪn]

raibs/daudzkrāsains
multicoloured
['mʌltɪkʌləd]

rūtains
checked
[tʃekt]

svītrots
striped
[straɪpt]

Vai varu jums palīdzēt?
Can I help you?

Nē, paldies. Es tikai vēlos apskatīties.
No, thank you. I'm just looking.

Vai jūs jau apkalpo?
Are you being served?

Nē, es vēlētos ...   **Ko jūs vēlētos?**
No, I'd like ...   What would you like?

Vai jūs varētu man palīdzēt? Es meklēju žaketi.
Could you help me? I'm looking for a jacket.

Kādu izmēru?   **Kāds ir jūsu izmērs?**
What size is it?   What size do you take?

Man ir ... izmērs pēc Eiropas sistēmas.
I'm size ... in European terms.

Vai es varu to uzlaikot?
Can I try it on?

Kur ir uzlaikošanas kabīne?
Where's the fitting room?

Vai jums tā der?   **Jā, tas ir mans izmērs.**
Does it fit you?   Yes, this is the right size.

Tā ir pašā laikā, bet man nepiestāv šī krāsa.
It fits perfectly, but this colour doesn't suit me.

Man nepiestāv šis fasons.
This isn't my style.

Tā man ir par lielu/mazu/garu/īsu.
It's too big/small/long/short.

Tā ir pārāk dārga.
It's too expensive.

Vai jums ir šāda (žakete) citā krāsā?
Have you got this (jacket) in another colour?

Vai jūs varētu man parādīt kaut ko lielāku/mazāku/lētāku?
Could you show me anything bigger/smaller/cheaper?

Man vajag par vienu izmēru lielāku/mazāku.
I need a size bigger/smaller.

Es paskatīšos.
I'll have a look.

Es ņemšu šo/šos/tos.
I'll take this one/these/those.

Lūdzu, iesaiņojiet mant to!
Could you wrap it for me, please?

Nē, paldies. Es to neņemšu.
No, thank you. I think I'll leave it.

Vai es varu saņemt atpakaļ naudu?
Can I have a refund?

■ IZMĒRU TABULA
CLOTHING SIZES

• Shoes (Kurpes)										
UK	2	3	4	5	6	7	8	9	10	11
Europe	35	36	37	38	39	41	42	43	44	46
• Men's Shirts (Vīriešu virskrekli)							
UK	14	14½	15	15½	16	16½	17
Europe	36	37	38	39	41	42	43
• Men's Suits (Vīriešu uzvalki)						
UK	36	38	40	42	44	46
Europe	46	48	50	52	54	56
• Women's Dresses and Blouses (Sieviešu kleitas un blūzes)						
UK	8	10	12	14	16	18
Europe	36	38	40	42	44	46

20.5. APAVI
FOOTWEAR

kurpes
shoes
[ʃuːz]

ielas kurpes
walking shoes
['wɔːkɪŋ ˌʃuːz]

kurpes ar augstiem/zemiem papēžiem
high/low-heeled shoes
['haɪ/'ləʊhiːld ˌʃuːz]

krosa kurpes
trainers
['treɪnəz]

laiviņkurpes
pumps
[pʌmps]

lakādas kurpes
patent leather shoes
['peɪtənt 'leðə ˌʃuːz]

teniskurpes
tennis shoes/sneakers (*AmE*)
['tenɪs ˌʃuːz/'sniːkəz]

mājas čības/rītakurpes
slippers
['slɪpəz]

mokasīni
loafers
['ləʊfəz]

sandales
sandals
['sændlz]

zābaki
boots
[buːts]

gumijas zābaki
wellingtons/rubber boots (*AmE*)
['welɪŋtənz/'rʌbə ˌbuːts]

ziemas zābaki
winter boots
['wɪntə ˌbuːts]

zamšāda
suede
['sweɪd]

Es vēlos pāri ielas/izejamās kurpes.
I'd like a pair of walking/evening shoes.

Kādu izmēru?
What size?

Man vajag ... izmēra kurpes.
I take size ... shoes.

Vai es varu tās uzlaikot?
Can I try them on?

Tās ir pašā laikā.
It's a perfect fit.

Tās spiež.
They pinch.

Tās ir pārāk šauras.
They are too tight.

Papēdis ir pārāk augsts/zems.
The heel's too high/low.

▄▄▄ 20.6. ĀDAS IZSTRĀDĀJUMI
LEATHER GOODS

āda
leather
['leðə]

ceļasoma
travelling bag/suitcase
['trævlɪŋ bæg/'suːtkeɪs]

cimdi (*pirkstaiņi*)
gloves
[glʌvz]

'diplomāts'
attaché case
[ə'tæʃɪkeɪs]

josta
belt
[belt]

kabatas portfelis
wallet
['wɒlɪt]

maks
purse
[pɜːs]

portfelis
briefcase
['briːfkeɪs]

rokassoma
handbag
['hændbæg]

20.7. JUVELIERIZSTRĀDĀJUMI
JEWELLERY

aproču pogas
cuff-links
['kʌflɪŋks]

auskari
ear-rings
['ɪərɪŋz]

gredzens
ring
[rɪŋ]

kaklarota
necklace
['neklɪs]

piespraude; sakta
brooch
[brəʊtʃ]

rokassprādze
bracelet
['breɪslɪt]

sudraba ķēdīte
silver chain
[ˌsɪlvə 'tʃeɪn]

zelta ķēdīte
gold chain
[ˌgəʊld 'tʃeɪn]

20.8. GALVASSEGAS
HEADGEAR

berete
beret
['bereɪ]

cepure
cap
[kæp]

adīta cepure
knitted cap
[ˌnɪtɪd 'kæp]

kažokādas cepure
fur cap
[ˌfɜː 'kæp]

lakats
headscarf
['hedskɑːf]

platmale
hat
[hæt]

salmu cepure
straw hat
[ˌstrɔː 'hæt]

▰▰▰ 20.9. GALANTĒRIJA
HABERDASHERY

adata
needle
['ni:dl]

cimdi (*dūraiņi*)
mittens
['mɪtnz]

cimdi (*pirkstaiņi*)
gloves
[glʌvz]

diegs
thread
[θred]

diegu spolīte
reel of thread
['ri:l əv 'θred]

drošības adata/saspraužamadata
safety-pin
['seɪftɪpɪn]

dzija
yarn
[jɑːn]

ķemme
comb
[kəʊm]

lietussargs
umbrella
[ʌm'brelə]

matadata
hairpin
['heəpɪn]

matu lente
ribbon
['rɪbən]

matu rullītis
haircurler
['heə,kɜːlə]

matu saspraude
hairgrip
['heəgrɪp]

matu sprādze
hairslide
['heəslaɪd]

matu suka
hair-brush
['heəbrʌʃ]

nagu vīlīte
nail-file
['neɪlfaɪl]

poga
button
['bʌtn]

rāvējslēdzējs
zip/zipper (*AmE*)
[zɪp/'zɪpə]

saulesbrilles
sunglasses
['sʌn,glɑːsɪz]

žilete
razor
['reɪzə]

▬ 20.10. KOSMĒTIKA
TOILETRY/COSMETICS

acu ēnas
eye shadows
['aɪ,ʃædəʊz]

acu kontūrzīmulis
eye liner
['aɪ,laɪnə]

dekoratīvā kosmētika
make-up
['meɪkʌp]

dezodorants
deodorant
[diː'əʊdərənt]

dezodoranta zīmulis
stick deodorant
['stɪk ,diː'əʊdərənt]

iedeguma eļļa
suntan oil
['sʌntæn ,ɔɪl]

dušas želeja
shower gel
['ʃaʊədʒel]

losjons (*pēc skūšanās*)
after-shave lotion
['ɑːftəʃeɪv ,ləʊʃn]

lūpukrāsa
lipstick
['lɪpstɪk]

matu balzams
hair conditioner
['heə kən'dɪʃnə]

matu laka
hair spray
['heəspreɪ]

matu putas
styling mousse
['staɪlɪŋ ,muːs]

matu želeja
styling gel
['staɪlɪŋ ,dʒel]

nagu laka
nail varnish/nail polish (*AmE*)
['neɪl ˌvɑːnɪʃ/'neɪl ˌpɒlɪʃ]

šķīdums nagu lakas noņemšanai
nail varnish/polish remover
['neɪl ˌvɑːnɪʃ/'pɒlɪʃ ˌrɪ'muːvə]

pūderis
powder
['paʊdə]

roku krēms
hand cream
['hænd ˌkriːm]

sejas krēms
face cream
['feɪs ˌkriːm]

sejas tīrīšanas līdzeklis
cleanser
['klenzə]

skropstu tuša
mascara
[mə'skɑːrə]

smaržas
perfume
['pɜːfjuːm]

šampūns
shampoo
[ʃæm'puː]

– sausiem matiem
for dry hair
[fə 'draɪ ˌheə]

– normāliem matiem
for normal hair
[fə 'nɔːml ˌheə]

– taukainiem matiem
for greasy hair
[fə 'griːzɪ ˌheə]

tualetes papīrs
toilet paper
['tɔɪlət ˌpeɪpə]

ziepes
soap
[səʊp]

zobu diegs
dental floss
[ˌdentl ˈflɒs]

zobu pasta
toothpaste
[ˈtuːθpeɪst]

zobu suka
toothbrush
[ˈtuːθbrʌʃ]

20.11. APAKŠVEĻA
UNDERWEAR

apakšbikses (*vīriešu*)
briefs/underpants
[briːfs/ˈʌndəpænts]

apakšsvārki
waist slip/half slip
[ˈweɪst ˌslɪp/ˈhɑːf ˌslɪp]

bikini
bikini
[bɪˈkiːnɪ]

biksītes (*sieviešu*)
panties
[ˈpæntɪz]

bodijs
(piekļāvīgas krekliņbiksītes)
body [ˈbɒdɪ]

kombinē
slip
[slɪp]

krūšturis
bra
[brɑː]

naktskrekls
night dress/nightie
[ˈnaɪtdres/ˈnaɪtɪ]

peldbikses
bathing-trunks/swimming-trunks
[ˈbeɪðɪŋˌtrʌŋks/ˈswɪmɪŋˌtrʌŋks]

peldkostīms
bathing-suit
[ˈbeɪðɪŋˌsuːt]

pidžama
pyjamas/pajamas (*AmE*)
[pəˈdʒɑːməz]

sporta krekliņš
singlet
[ˈsɪŋglət]

zeķes (*garās*)
stockings
[ˈstɒkɪŋz]

zeķes (*īsās*)
socks
['sɒks]

pusgarās zeķes
knee socks
['niː,sɒks]

zeķubikses
tights/panty-hose (*AmE*)
['taɪts/'pæntɪ,həʊz]

▄▄▄ 20.12. AUDUMI
FABRICS

audums
fabric
['fæbrɪk]

apdrukāts/rūtains/svītrains/vienkrāsains audums
printed/checked/striped/plain fabric
['prɪntɪd/tʃekt/straɪpt/pleɪn 'fæbrɪk]

batists
batiste/cambric
[bæ'tiːst/'keɪmbrɪk]

brokāts
brocade
[brəʊ'keɪd]

frotē audums
terrycloth
['terɪklɒθ]

katūns
printed cotton
['prɪntɪd ,kɒtn]

kokvilna
cotton
['kɒtn]

lins
linen
['lɪnɪn]

samts
velvet
['velvɪt]

saržs
serge
[sɜːdʒ]

satīns
sateen
[sæ'tiːn]

sintētisks
synthetic
[sɪn'θetɪk]

trikotāža
knitwear
['nɪtweə]

vilnas trikotāža
jersey
['dʒɜːzɪ]

velvets
velveteen/corduroy
[ˌvelvɪ'tiːn/'kɔːdərɔɪ]

vilna
wool
[wʊl]

zīds
silk
[sɪlk]

dabiskais zīds
natural silk
['nætʃrəl ˌsɪlk]

mākslīgais zīds
rayon
['reɪɒn]

20.13. GALDA PIEDERUMI
TABLEWARE

apakštase
saucer
['sɔːsə]

bļoda
bowl
[bəʊl]

salātu bļoda
salad bowl
['sæləd ˌbəʊl]

cukurtrauks
sugar-basin
['ʃʊgəˌbeɪsn]

dakšiņa
fork
[fɔːk]

fajansa trauki
crockery
['krɒkərɪ]

glāze
glass
[glɑːs]

kafijkanna
coffee-pot
['kɒfɪpɒt]

karote
spoon
[spuːn]

krējumkrūze
cream jug
['kriːm ˌdʒʌg]

krūze
mug
[mʌg]

krūze (*lielāka*)
jug
[dʒʌg]

kristāla izstrādājumi
crystalware
['krɪstlweə]

kristāla glāzes
crystal glasses
['krɪstl ˌglɑːsɪz]

mērces trauks
sauce-boat/gravy-boat
['sɔːsbəʊt/'greɪvɪbəʊt]

nazis
knife
[naɪf]

piparnīca
pepper-pot/pepper-shaker
['pepəpɒt/'pepəˌʃeɪkə]

porcelāna trauki
china
['tʃaɪnə]

pusdienu servīze
dinner-set/dinner-service
['dɪnəset/'dɪnəˌsɜːvɪs]

sālstrauks
salt-cellar/salt-shaker
['sɔːlt selə/'sɔːltˌʃeɪkə]

sinepju trauks
mustard-pot
['mʌstədpɒt]

sviesta trauks
butter dish
['bʌtədɪʃ]

šķīvis (*zupas*)
soup plate
['suːpleɪt]

šķīvis (*seklais*)
dinner plate
['dɪnəpleɪt]

tase
cup
[kʌp]

tējkanna
teapot
['tiːpɒt]

tējkarote
tea spoon
['tiːspuːn]

tējas servīze
tea-set/ tea-service
['tiːset/'tiːˌsɜːvɪs]

20.14. SAIMNIECĪBAS PRECES UN ELEKTROPRECES
HOUSEHOLD AND ELECTRICAL APPLIANCES

elektriskais bārdas skujamais aparāts
electric shaver
[ɪˌlektrɪk ˈʃeɪvə]

elektriskā plīts
electric cooker
[ɪˌlektrɪk ˈkʊkə]

fēns
hair-dryer
[ˈheədraɪə]

gaļas mašina
mincer/meat chopper (*AmE*)
[ˈmɪnsə/ˈmiːttʃɒpə]

gāzes plīts
gas cooker
[ˈgæs ˌkʊkə]

gludeklis
iron
[ˈaɪən]

kafijas dzirnaviņas
coffee grinder
[ˈkɒfɪ ˌgraɪndə]

kafijas vārāmais automāts
coffee maker
[ˈkɒfɪ ˌmeɪkə]

kastrolis
saucepan/pan
[ˈsɔːspən]

konservu nazis
can opener
[ˈkæn ˌəʊpnə]

korķu vilķis
corkscrew
[ˈkɔːkskruː]

ledusskapis
refrigerator/fridge
[rɪˈfrɪdʒəreɪtə/frɪdʒ]

mikroviļņu krāsns
microwave oven
[ˈmaɪkrəweɪv ˌʌvn]

mikseris
mixer
[ˈmɪksə]

panna
frying pan
[ˈfraɪŋpæn]

tosters
toaster
[ˈtəʊstə]

putekļu sūcējs
vacuum cleaner/Hoover
[ˈvækjʊəmkliːnə/ˈhuːvə]

veļas mazgājamā mašīna
washing machine
[ˈwɒʃɪŋməˌʃiːn]

▰▰ 20.15. KANCELEJAS PIEDERUMI
STATIONERY

aploksne
envelope
[ˈenvələʊp]

dzēšamā gumija
rubber/eraser (*AmE*)
[ˈrʌbə/ɪˈreɪzə]

korektūras tinte/korektūras pildspalva
correction fluid/correction pen
[kəˈrekʃn ˌfluːɪd/kəˈrekʃn pen]

līmlente
Scotch tape
[ˌskɒtʃ ˈteɪp]

lodīšu pildspalva
ballpoint pen/biro
[ˈbɔːlpɔɪntpen/ˈbaɪərəʊ]

papīrs
paper
[ˈpeɪpə]

piezīmju papīrs
note-paper
[ˈnəʊtpeɪpə]

piezīmju grāmatiņa
notebook
[ˈnəʊtbʊk]

caurumotājs
hole punch
[ˈhəʊl ˌpʌntʃ]

flomasters
felt-tip pen/marker
[ˌfelttɪpˈpen/ˈmɑːkə]

līme
glue/paste
[ˈgluː/peɪst]

lineāls
ruler
[ˈruːlə]

mape/vāki
folder
[fəʊldə]

rakstāmpapīrs
writing-paper
[ˈraɪtɪŋˌpeɪpə]

pielīmējamais piezīmju papīrs
post-it-note
[ˈpəʊstɪtˌnəʊt]

piespraude
drawing-pin
[ˈdrɔːɪŋpɪn]

saspraude
paper clip
['peɪpəklɪp]

skavotājs
stapler
['steɪplə]

zīmulis
pencil
['pensl]

zīmuļu asinātājs
pencil sharpener
['pensl ˌʃɑːpnə]

▓ 20.16. FOTOPIEDERUMI
CAMERA SHOP

attīstīt
develop
[dɪ'veləp]

krāsainā filma
colour film
['kʌlə ˌfɪlm]

fotoaparāts
camera
['kæmərə]

fotofilma
film
[fɪlm]

fotogrāfija/fotouzņēmums
photograph/photo/picture
['fəʊtəgrɑːf/'fəʊtəʊ/'pɪktʃə]

dienasgaismas filma
daylight film
['deɪlaɪt 'fɪlm]

mākslīgā apgaismojuma filma
film for artificial light
['fɪlm fə 'ɑːtɪfɪʃl ˌlaɪt]

fotopapīrs
photographic paper
[ˌfəʊtə'græfɪk ˌpeɪpə]

glancētas/matētas fotogrāfijas
glossy/matt photographs
['glɒsɪ/'mæt ˌfəʊtəgrɑːfs]

videokamera
video camera
['vɪdɪəʊ ˌkæmərə]

videokasete
video cassette
[ˌvɪdɪəʊ kə'set]

zibspuldze
flash (bulb)
['flæʃbʌlb]

Man, lūdzu, fotofilmu šim fotoaparātam.
I'd like a film for this camera, please.

Lūdzu, ieliciet filmu fotoaparātā!
Could you load the film for me, please?

Lūdzu, izņemiet filmu!
Could you take the film out for me, please?

Lūdzu, apskatiet manu fotoaparātu. Tas nedarbojas.
Could you have a look at my camera, please? It's not working.

Jums jānomaina baterijas.
You have to replace the batteries.

Tas ir salūzis.
It's broken.

Filma ir iestrēgusi.
The film's jammed.

Lūdzu, attīstiet un nokopējiet šo filmu!
I'd like to have this film developed and printed, please.

Lūdzu, nokopējiet šos kadrus!
I'd like prints from these negatives, please.

Cik maksā attīstīšana/kopēšana?
How much is processing/printing?

Kad tās būs gatavas?
When will they be ready?

Lūdzu, palieliniet šo fotogrāfiju!
I'd like to have this photo enlarged.

20.17. GRĀMATAS
BOOKS

antikvariāts
second-hand bookshop
[ˌsekənd'hænd 'bʊkʃɒp]

atlants
atlas
['ætləs]

autors
author
['ɔːθə]

brošēta grāmata
paperback
['peɪpəbæk]

brošūra
brochure
['brəʊʃə]

ceļvedis
guidebook
['gaɪdbʊk]

daiļliteratūra
fiction
['fɪkʃn]

detektīvstāsts
detective story
[dɪ'tektɪv 'stɔːrɪ]

dzeja
poetry
['pəʊɪtrɪ]

dzejolis
poem
['pəʊɪm]

enciklopēdija
encyclopedia
[ɪnˌsaɪkləʊ'piːdɪə]

grāmata
book
[bʊk]

bērnu grāmata
children's book
['tʃɪldrənz ˌbʊk]

bilžu grāmata
picture book
['pɪktʃəbʊk]

mācību grāmata
textbook
['tekstbʊk]

iesieta grāmata
hardcover
[ˌhɑːd'kʌvə]

ilustrācija
illustration
[ɪlə'streɪʃn]

izdevējs
publisher
['pʌblɪʃə]

izdevniecība
publishing house
['pʌblɪʃɪŋ ˌhaʊs]

izdevums
edition/publication
[ɪ'dɪʃn/ˌpʌblɪ'keɪʃn]

atkārtots izdevums
reprint
['riːˌprɪnt]

pārstrādāts izdevums
revised edition
[rɪ'vaɪzd ɪ'dɪʃn]

karte
map
[mæp]

katalogs
catalogue
['kætəlɒg]

komikss
comic
['kɒmɪk]

luga
play
[pleɪ]

novele
short story
['ʃɔːt ˌstɔːrɪ]

pasaka
fairy-tale
['feərɪteɪl]

pavārgrāmata
cookery book/cookbook (*AmE*)
['kʊkərɪbʊk/'kʊkbʊk]

rokasgrāmata
manual/handbook/reference book
['mænjʊəl/'hændbʊk/'refrəns,bʊk]

romāns
novel
['nɒvl]

sarunvārdnīca
phrase-book
['freɪzbʊk]

sējums
volume
['vɒljuːm]

stāsts
story
['stɔːrɪ]

tulkojums
translation
[træns'leɪʃn]

vāks
cover
['kʌvə]

vārdnīca
dictionary
['dɪkʃnərɪ]

zinātniskā fantastika
science fiction
[ˌsaɪəns 'fɪkʃn]

žurnāls (*zinātnisks*)
journal
['dʒɜ:nl]

žurnāls (*populārs*)
magazine
[ˌmægə'zi:n]

20.18. RADIOUZTVĒRĒJI UN TELEVIZORI
RADIO AND TV SETS

austiņas
earphones
['ɪəfəʊnz]

baterija
battery
['bætərɪ]

kanāls
channel
['tʃænl]

kasete
cassette
[kə'set]

audio (video) kasete
audio (video) cassette
[ˌɔ:dɪəʊ/ˌvɪdɪəʊ kə'set]

kasešu atskaņotājs
cassette player
[kə'set ˌpleɪə]

kasešu magnetofons
cassette recorder
[kə'set rɪ'kɔ:də]

kompaktdisks
compact disc/CD
[ˌkɒmpækt 'dɪsk/ˌsi:'di:]

kompaktdisku atskaņotājs
CD player
[ˌsi:di:'pleɪə]

mūzikas centrs
hi-fi set
['haɪfaɪ ˌset]

radio pulkstenis
clock radio
[ˌklɒk 'reɪdɪəʊ]

radiouztvērējs
radio
['reɪdɪəʊ]

ieslēgt (*raidstaciju*)
tune in
['tju:n 'ɪn]

regulēšanas poga
button
['bʌtn]

slēdzis
switch
['swɪtʃ]

tālvadības pults
remote controller
[rɪ,məʊt kən'trəʊlə]

krāsu televizors
colour television set
['kʌlə 'telɪ,vɪʒnset]

viļņu diapazons
waveband/band
['weɪvbænd]

videomagnetofons
video (cassette) recorder/VCR
[,vɪdɪəʊ kə'set rɪ,kɔ:də/,vi:si:'ɑː]

savienotājvads
connecting cord
[kə'nektɪŋ ,kɔ:d]

(skaņas) **stipruma regulētājs**
volume control
['vɒlju:m kən'trəʊl]

televizors
television set
['telɪ,vɪʒnset]

tīkla vads
mains coard
['meɪnskɔ:d]

viļņu garums
wavelength
['weɪvleŋθ]

PĀRTIKAS PIRKŠANA
SHOPPING FOR FOOD

21.1. VISPĀRĒJAS FRĀZES
GENERAL PHRASES

Kur var nopirkt maizi/pienu/augļus?
Where can I buy bread/milk/fruit?

Kur ir tirgus/lielveikals?
Where's the market/supermarket?

Man, lūdzu ...
I'd like ...

... kilogramu ābolu.
... a kilo of apples, please.

... puskilogramu plūmju.
... half a kilo of plums.

... pusmārciņu sviesta.
... half a pound of butter.

... simts (divsimt) gramu siera.
... a hundred (two hundred) grams of cheese.

... vienu litru piena.
... a litre of milk.

... vienu paku apelsīnu sulas.
... a carton of orange juice.

... divas paciņas cepumu.
... two packets of biscuits.

... vienu burciņu ievārījuma.
... a jar of jam.

... divas šokolādes tāfelītes.
... two bars of chocolate.

... vienu kārbu šokolādes konfekšu.
... a box of chocolates.

... pudeli vīna.
... a bottle of wine.

... kārbu kokakolas.
... a can of Coke.

▇▇▇ 21.2. PIENA PRODUKTI
DAIRY PRODUCE

biezpiens
curds/cottage cheese
[kɜːdz/ˌkɒtɪdʒ ˈtʃiːz]

jogurts
yoghurt
[ˈjəʊgət]

krējums *(skābais)*
sour cream
[ˌsaʊə ˈkriːm]

saldais krējums
whipping cream
[ˈwɪpɪŋkriːm]

putukrējums
whipped cream
[ˌwɪpt ˈkriːm]

margarīns
margarine/marge *(informal)*
[ˌmɑːdʒəˈriːn/mɑːdʒ]

olas
eggs
[egz]

paniņas
buttermilk
[ˈbʌtəmɪlk]

piens
milk
[mɪlk]

siers
cheese
[tʃiːz]

sviests
butter
['bʌtə]

vājpiens
skimmed milk
['skɪmd ˌmɪlk]

21.3. SALDĒJUMS
ICE CREAM

saldējums
ice cream
[ˌaɪs 'kriːm]

aveņu~
raspberry~
['rɑːzbərɪ]

banānu~
banana~
[bə'nɑːnə]

riekstu~
nut~
[nʌt]

šokolādes~
chocolate~
['tʃɒklət]

vaniļas~
vanilla~
[və'nɪlə]

zemeņu~
strawberry~
['strɔːbərɪ]

21.4. MAIZE
BREAD

baltmaize
white bread
['waɪt ˌbred]

graudu maize
wholemeal bread
[ˌhəʊlmiːl 'bred]

maizīte
roll
[rəʊl]

rudzu maize
rye-bread
['raɪbred]

rupjmaize
brown bread
['braʊn ˌbred]

šķēlēs sagriezta maize
sliced bread
['slaɪst ˌbred]

21.5. KONDITOREJAS IZSTRĀDĀJUMI
CONFECTIONERY

ābolkūka
apple tart/apple-pie (*AmE*)
[ˌæpl'tɑːt/ˌæpl'paɪ]

biskvītkūka
sponge-cake
['spʌndʒkeɪk]

cepumi
biscuits/cookies
['bɪskɪts/'kʊkɪz]

sausie cepumi
crackers
['krækəz]

kūka
cake
[keɪk]

marmelāde
marmalade
['mɑːməleɪd]

pīrāgs (*augļu*)
tart/pie (*AmE*)
[tɑːt/paɪ]

saldumi
sweets/candy (*AmE*)
[swiːts/'kændɪ]

šokolāde
chocolate
['tʃɒklət]

šokolādes konfektes
chocolates
['tʃɒkləts]

šokolādes tāfelīte
bar of chocolate
['bɑː əv 'tʃɒklət]

torte
cake
[keɪk]

vafele
waffle
['wɒfl]

virtulis
doughnut
['dəʊnʌt]

želeja
jelly
['dʒelɪ]

21.6. AUGĻI UN DĀRZEŅI
FRUIT AND VEGETABLES

ābols
apple *epl*
[æpl]

ananass
pineapple *painepl*
['paɪnæpl]

apelsīns
orange *orindž*
['ɒrɪndʒ]

aprikoze
apricot *APRIKOT*
['eɪprɪkɒt]

arbūzs
watermelon *võtemelon*
['wɔːtə,melən]

artišoks
artichoke *ĀRTIŠOUK*
['ɑːtɪtʃəʊk]

avenes
raspberries *RĀZBERĪZ*
['rɑːzbərɪz]

avokado
avocado
[,ævə'kɑːdəʊ]

baklažāns
aubergine *AUBUŽĪN*
['əʊbəʒiːn]

banāns
banana
[bə'nɑːnə]

biete
beetroot *bītrūt*
['biːtruːt]

brūklenes
red bilberries
[,red 'bɪlbərɪz]

bumbieris
pear *pēe*
[peə]

burkāns
carrot *KERROT*
['kærət]

citrons
lemon *lemon*
['lemən]

datele
date *deit*
[deɪt]

dilles
dill *dil*
[dɪl]

dzērvenes
cranberries *KRANBERĪ*
['krænbərɪz]

ērkšķogas
gooseberries
['guzbərɪz]

greipfrūts
grapefruit
['greɪpfruːt]

marinēti gurķi *(ari skābēti)*
pickled cucumbers kjūkambēr
['pɪkld 'kjuːkʌmbəz]

PIKLD

jāņogas
currants
['kʌrənts]

kālis
swede/swedish turnip
[swiːd/ˌswiːdɪʃ 'tɜːnɪp]

kāposti
cabbage kebidž
['kæbɪdʒ]

skābēti kāposti
sauerkraut/pickled cabbage
['sauəkraut/ˌpɪkld 'kæbɪdʒ]

kartupeļi
potatoes POTeitouz
[pə'teɪtəuz]

konservēti augļi
canned fruit
[ˌkænd 'fruːt]

ķirbis
pumpkin/squash
['pʌmpkɪn/skwɒʃ]

granātābols
pomegranate
['pɒmɪˌgrænət]

gurķi kjūkambē(r)
cucumbers
['kjuːkʌmbəz]

ievārījums džem
jam
[dʒæm]

kabacis
courgette/marrow
[kuə'ʒet/'mærəu]

kāpostgalva
cabbage-head
['kæbɪdʒhed]

rožu kāposti
Brussels sprouts
[ˌbrʌslz 'sprauts]

ziedkāposti/puķkāposti
cauliflower koliflauver
['kɒlɪˌflauə]

kazenes blek berīz
blackberries
['blækbərɪz]

ķiploks gālik
garlic
['gɑːlɪk]

ķirši čerīz
cherries
['tʃerɪz]

loki SPRING ONION
spring onions
[ˌsprɪŋ ˈʌnjənz]

mandarīns tENdžCRĪN
tangerine
[ˌtændʒəˈriːn]

mango
mango
[ˈmæŋgəʊ]

mārrutks
horse-radish
[ˈhɔːsˌrædɪʃ]

mellenes blū beeīz
bilberries/blueberries
[ˈbɪlbərɪz/ˈbluːbərɪz]

melone meLen
melon
[ˈmelən]

oga beeī
berry
[ˈberɪ]

olīva oLiv
olive
[ˈɒlɪv]

pastinaks
parsnip
[ˈpɑːsnɪp]

persiks pīč
peach
[ˈpiːtʃ]

pētersiļi pāsli
parsley
[ˈpɑːslɪ]

plūme pLAm
plum
[plʌm]

pupas bīns
beans
[biːnz]

pupiņas KiDNī bīns
kidney beans/French beans
[ˈkɪdnɪbiːnz/ˈfrentʃbiːnz]

puravs līk
leek
[liːk]

rabarbers RubāB
rhubarb
[ˈruːbɑːb]

redīss Rediš
radish
[ˈrædɪʃ]

rieksti NATS
nuts
[nʌts]

rozīnes ReiżiNS
raisins
[ˈreɪzənz]

rozīnes *(bez kauliņiem)*
sultanas
[səlˈtɑːnəs]

rutks
black radish
[ˌblæk ˈrædɪʃ]

salāti
lettuce *letiss*
[ˈletɪs]

selerija
celery/celeriac *seleri*
[ˈselərɪ/səˈlerɪæk]

sēnes
mushrooms *mašrūms*
[ˈmʌʃrʊmz]

sīpols
onion *onion*
[ˈʌnjən]

skābenes
sorrels *sourelz*
[ˈsɒrəlz]

sparģeļi
asparagus *asparagus*
[əˈspærəgəs]

spināti
spinach *spinič*
[ˈspɪnɪdʒ]

tomāti
tomatoes *tomātous*
[təˈmɑːtəʊz]

upenes
black currants
[ˌblæk ˈkʌrənts]

valrieksti
walnuts *volnats*
[ˈwɔːlnʌts]

vīģe
fig *fig*
[fɪg]

vīnogas
grapes *greips*
[greɪps]

zemenes
strawberries *strōberi*
[ˈstrɔːbərɪz]

zemesrieksti
peanuts *pīnats*
[ˈpiːnʌts]

zirņi
peas *pīz*
[piːz]

zaļie zirnīši
green peas *grīn pīz*
[ˌgriːn ˈpiːz]

21.7. GARŠAUGI
HERBS

baziliks
basil
['bæzl]

baziL

estragons
tarragon
['tærəgən]

piparmētra
mint
[mɪnt]

miNT

rozmarīns
rosemary
['rəʊzmərɪ]

salvija
sage
[seɪdʒ]

timiāns
thyme
[taɪm]

21.8. BAKALEJA
GROCERY

auzu pārslas
rolled oats/oatmeal
['rəʊld əʊts/'əʊtmi:l]

citronskābe
citric acid
[,sɪtrɪk 'æsɪd]

sitrik asid

cukurs
sugar
['ʃʊgə]

ʃuge(R)

eļļa
oil
[ɔɪl]

etiķis
vinegar
['vɪnɪgə]

vineGe(R)

garšvielas
spices
['spaɪsɪz]

ingvers
ginger
['dʒɪndʒə]

dʒiNdʒi(R)

kafija
coffee
['kɒfɪ]

KOFI

kafijas pupiņas
coffee-beans
['kɒfɪbi:nz]

KOFI bINs

malta kafija
ground coffee
['graʊnd ,kɒfɪ]

GRAUND KOFI

šķīstošā kafija
instant coffee
[ˈɪnstənt ˌkɒfɪ]

kanēlis
cinnamon *SiNAMON*
[ˈsɪnəmən]

košļājamā gumija
chewing gum
[ˈtʃuːɪŋgʌm]

kukurūzas pārslas
cornflakes
[ˈkɔːnfleɪks]

majonēze
mayonnaise
[ˌmeɪəˈneɪz]

manna
semolina
[ˌseməˈliːnə]

medus
honey *HANi*
[ˈhʌnɪ]

muskatrieksts
nutmeg
[ˈnʌtmeg]

paprika
paprika
[ˈpæprɪkə]

putraimi
groats
[grəʊts]

kakao
cocoa
[ˈkəʊkəʊ]

kardamons
cardamom
[ˈkɑːdəməm]

krustnagliņas
cloves
[kləʊvz]

lauru lapa
bay leaf
[ˈbeɪliːf]

makaroni *PASTA*
macaroni ~~macaroni~~
[ˌmækəˈrəʊnɪ]

mandeles
almonds *ALMeNDS*
[ˈɑːməndz]

milti
flour *FLAUVē (R)*
[ˈflaʊə]

nūdeles
noodles *Nūdls*
[nuːdlz]

pipari
pepper *pepē(R)*
[ˈpepə]

raugs
yeast
[jiːst]

rīsi
rice *RAIS*
[raɪs]

safrāns
saffron
[ˈsæfrən]

sāls
salt *SOLT*
[sɔːlt]

sinepes
mustard *MASTARD*
[ˈmʌstəd]

spageti
spaghetti
[spəˈgetɪ]

tēja
tea *TI*
[tiː]

tējas maisiņš
tea bag
[ˈtiːbæg]

vaniļa
vanilla
[vəˈnɪlə]

želatīns
gelatine
[ˌdʒələˈtiːn]

21.9. GAĻA UN GAĻAS IZSTRĀDĀJUMI
MEAT AND MEAT PRODUCTS

aitas gaļa
mutton
[ˈmʌtn]

aknas
liver
[ˈlɪvə]

aknu desa
liver sausage
[ˈlɪvə ˌsɒsɪdʒ]

brieža gaļa
venison
[ˈvenzn]

cālis *(vistas gaļa)*
chicken
[ˈtʃɪkn]

cīsiņi
frankfurters
[ˈfræŋkfɜːtəz]

cūkgaļa
pork
[pɔːk]

desa
sausage
[ˈsɒsɪdʒ]

fileja
fillet/sirloin
['fɪlɪt/'sɜːlɔɪn]

jēra gaļa
lamb
[læm]

liesa gaļa
lean meat
[ˌliːn 'miːt]

medījums
game
[geɪm]

pastēte
pâté
['pæteɪ]

salami
salami
[sə'lɑːmɪ]

šķiņķis
ham
[hæm]

tītars
turkey
['tɜːkɪ]

zoss
goose
[guːs]

gurna gabals cepetim
joint
[dʒɔɪnt]

liellopu gaļa
beef
[biːf]

malta gaļa
minced meat/mince
[ˌmɪnst 'miːt/mɪns]

mēle
tongue
['tʌŋ]

pīle
duck
[dʌk]

speķis
bacon
['beɪkən]

teļa gaļa
veal
[viːl]

trekna gaļa
fatty meat
['fætɪ 'miːt]

žāvēts/ kūpināts
smoked
[sməʊkt]

21.10. ZIVIS UN JŪRAS DELIKATESES
FISH AND SHELLFISH

āte
halibut/turbot
['hælɪbət/'tɜːbət]

austere
oyster
['ɔɪstə]

bute
plaice
[pleɪs]

forele
trout
[traʊt]

garneles *(lielās)*
shrimps
[ʃrɪmps]

garneles *(lielās)*
prawns
['prɔːnz]

gliemenes/gliemji
mussels
['mʌslz]

gliemeži
cockles
['kɒklz]

ikri
caviar
['kævɪɑː]

karpa
carp
[kɑːp]

lasis
salmon
['sæmən]

līdaka
pike
[paɪk]

menca
cod
[kɒd]

nēģis
lamprey
['læmprɪ]

omārs
lobster
['lɒbstə]

paltuss
sole
[səʊl]

pīkša *(mencas paveids)*
haddock
['hædək]

plekste
flounder
['flaʊndə]

reņģe
Baltic pilchard
[ˌbɔːltɪk ˈpɪltʃəd]

sardīne
sardine/ pilchard
[sɑːˈdiːn/ ˈpɪltʃəd]

siļķe
herring
[ˈherɪŋ]

skumbrija
mackerel
[ˈmækrəl]

store
sturgeon
[ˈstɜːdʒən]

šprote
sprat
[spræt]

tunzivs/tuncis
tuna
[ˈtuːnə]

vēzis *(jūras)*
crab
[kræb]

vēzis *(upes)*
crayfish
[ˈkreɪfɪʃ]

zivju fileja
fish fillet
[ˈfɪʃ ˌfɪlɪt]

zutis
eel
[iːl]

21.11. BEZALKOHOLISKIE DZĒRIENI
SOFT DRINKS

kokakola
coke
[kəʊk]

minerālūdens
mineral water
[ˌmɪnrəl ˈwɔːtə]

sula
juice
[dʒuːs]

ābolu sula
apple juice
[ˌæpl ˈdʒuːs]

apelsīnu sula
orange juice
[ˌɒrɪndʒ ˈdʒuːs]

dzērveņu sula
cranberry juice
[ˌkrænbərɪ ˈdʒuːs]

toniks
tonic
[ˈtɒnɪk]

21.12. ALKOHOLISKIE DZĒRIENI
STRONG (ALCOHOLIC) DRINKS

alus
beer
[bɪə]

gaišais alus
lager
['lɑːgə]

tumšais alus
bitter/stout
['bɪtə/staʊt]

degvīns
vodka
['vɒdkə]

džins
gin
[dʒɪn]

karstvīns
mulled wine
[ˌmʌld 'waɪn]

kokteilis
cocktail
['kɒkteɪl]

konjaks
cognac/brandy
['kɒnjæk/'brændɪ]

liķieris
liqueur
[lɪ'kjʊə]

sidrs/ābolu vīns
cider
['saɪdə]

šampanietis
champagne
[ʃæm'peɪn]

vīns
wine
[waɪn]

baltvīns
white wine
[ˌwaɪt 'waɪn]

sarkanvīns
red wine
[ˌred 'waɪn]

pussausais vīns
semi-dry wine
[ˌsemɪdraɪ 'waɪn]

sausais vīns
dry wine
[ˌdraɪ 'waɪn]

saldais vīns
sweet wine
[ˌswiːt 'waɪn]

portvīns
port
[pɔːt]

viskijs
whisky/whiskey (*AmE*)
['wɪskɪ]

VESELĪBA
HEALTH

22

■■■ 22.1. INFORMĀCIJA
INFORMATION

apdrošināšana insurance [ɪnˈʃʊərəns]	**ārsts** doctor [ˈdɒktə]
ātrās palīdzības mašīna ambulance [ˈæmbjʊləns]	**ātri** quickly [ˈkwɪklɪ]
bērnu ārsts paediatrician [ˌpiːdɪəˈtrɪʃn]	**izsaukt** call [kɔːl]
norunāta tikšanās appointment [əˈpɔɪntmənt]	**zobārsts** dentist [ˈdentɪst]

Vai jūs varētu, lūdzu, nekavējoties izsaukt ārstu?
Could you call a doctor quickly, please?

Es gribētu norunāt pieņemšanu pie ārsta.
I'd like to make an appointment to see the doctor.

Man ir norunāta pieņemšana pie ārsta pulksten 10.
I've got an appointment to see the doctor at 10 o'clock.

Vai jūs man varat ieteikt labu ārstu/bērnu ārstu/zobārstu?
Could you recommend a good doctor/paediatrician/dentist?

Lūdzu, izsauciet ātro palīdzību!
Please call an ambulance!

Cikos ārsts pieņem?
What are the surgery hours?

Es esmu apdrošināts(-a).
I'm insured.

22.2. PIE ĀRSTA
AT THE DOCTOR'S

alerģija
allergy
['ælədʒɪ]

asins grupa
blood group
['blʌdgru:p]

asinsspiediens
blood pressure
['blʌd ˌpreʃə]

caureja
diarrhoea
[ˌdaɪə'rɪə]

dziļi
deep
[di:p]

ēdamkarote
spoonful
['spu:nfʊl]

elpot
breathe
[bri:ð]

galvassāpes
headache
['hedeɪk]

gripa
flu
[flu:]

grūtniecības stāvoklī
pregnant
['pregnənt]

iedzelt
sting
[stɪŋ]

iegriezt; sagriezt
cut
[kʌt]

iekost
bite
[baɪt]

izǵērbties
undress
[ʌnˈdres]

justies/ just
feel
[fiːl]

pakrist/ nokrist
fall
[fɔːl]

pilieni
drops
[drɒps]

sāpēt
ache/hurt
[eɪk/hɜːt]

saulesdūriens
sunstroke
[ˈsʌnstrəʊk]

sirdslēkme
heartattack
[ˈhɑːtəˌtæk]

speciālists
specialist
[ˈspeʃlɪst]

infekcija
infection
[ɪnˈfekʃn]

izmežǵīt
dislocate/sprain
[ˈdɪsləkeɪt]/[spreɪn]

kapsula   **labi**
capsule   well
[ˈkæpsjuːl]   [wel]

piedurkne
sleeve
[sliːv]

saaukstēšanās
cold
[kəʊld]

sastiept
strain
[streɪn]

savainot
injure
[ˈɪndʒə]

slims(-a)
ill/sick (*AmE*)
[ɪl/sɪk]

zāles/ medikamenti
medicine/drugs
[ˈmedsən/drʌgz]

Es nejūtos labi.
I don't feel well.

Es esmu slims(-a).
I am ill.

Man reibst galva.
I am dizzy.

Es esmu saaukstējies(-usies).
I've got a cold.

Man ir paaugstināta temperatūra.
I've got a temperature.

Es pakritu/nokritu.
I've had a fall.

Es esmu sevi savainojis(-usi).
I've injured myself.

Es esmu sev iegriezis(-usi) pirkstā.
I've cut my finger.

**Es esmu izmežģijis(-usi)/sastiepis(-usi)/salauzis(-usi)
roku/potīti/kāju.**
I've dislocated/strained/broken my arm/ankle/leg.

Man sāp kāja/roka.
My leg/arm hurts.

Man sāp galva/auss/kakls/vēders.
I've got a headache/an earache/a sore throat/a stomachache.

Man ir caureja/klepus.
I've got diarrhoea/a cough.

Man nav labi ar sirdi.
There's something wrong with my heart.

Man iekoda kukainis.
I was stung by an insect.

Man iekoda suns.
I was bitten by a dog.

Es nepanesu karstumu.
I can't stand the heat.

Es esmu (grūtniecības) stāvoklī.
I'm pregnant.

Es esmu diabētiķis(-e).
I am a diabetic.

Man ir paaugstināts asinsspiediens.
I have high blood pressure.

Man ir astma.
I have asthma.

Man ir ... asins grupa.
My blood group is ... .

Lūdzu, izģērbieties!
Get undressed, please!

Uzrotiet, lūdzu, labo/kreiso piedurkni.
Roll up your right/left sleeve, please.

Lūdzu, apgulieties šeit!
Lie down here, please.

Elpojiet dziļi!
Breathe deep!

Atveriet muti!
Open your mouth!

Vai šeit sāp?
Does it hurt here?

Jā, šeit sāp.
Yes, it hurts here.

Jums ir gripa/infekcija/saulesdūriens.
You've got the flu/infection/sunstroke.

Jums ir bijusi sirdslēkme.
You've had a heart attack.

Es jums izrakstīšu zāles.
I'll make out a prescription for you.

Vai jums ir alerģija pret kādām zālēm?
Do you have any allergies?

Man ir alerģija pret penicilīnu.
I'm allergic to penicillin.

Kā man jādzer šīs zāles?
How do I take this medicine?

Cik kapsulas/pilieni/karotes/tabletes jādzer vienā reizē?
How many capsules/drops/spoonfuls/tablets each time?

Cik reizes dienā?
How many times a day?

Jums jādzer pa vienai tabletei trīsreiz dienā.
You must take one tablet three times a day.

Es jūs nosūtīšu pie speciālista.
I'm referring you to a specialist.

Es jūs nosūtīšu uz slimnīcu.
I'm sending you to hospital.

22.3. APTIEKĀ
AT THE CHEMIST'S

aptieka
the chemist's (shop)/pharmacy
[ðə 'kemɪsts/'fɑːməsɪ]

antibiotika
antibiotic
[,æntɪbaɪ'ɒtɪk]

deva
dosage
['dəʊsɪdʒ]

dezinfekcijas līdzeklis
disinfectant
[,dɪsɪn'fektənt]

higiēniskās paketes
sanitary towels
['sænɪtərɪ ,taʊəlz]

marles saite
bandage
['bændɪdʒ]

nomierinoši līdzekļi
tranquillizers
['træŋkwəlaɪzəz]

plāksteris
plaster
['plɑːstə]

recepte	**tablete**
prescription	pill/tablet
[prɪ'skrɪpʃn]	[pɪl/'tæblɪt]

sūkājama tablete (*pret klepu*)	**tinktūra**
cough lozenge	tincture
['kɒf 'lɒzɪndʒ]	['tɪŋktʃə]

vate	**ziede**
cotton wool	ointment
['kɒtnwʊl]	['ɔɪntmənt]

Vai viesnīcā ir aptieka?
Is there a pharmacy in the hotel?

Kur ir tuvākā aptieka?
Where's the nearest chemist's?

**Vai jums ir kādas zāles pret saaukstēšanos/klepu/sāpēm
kaklā/galvassāpēm/saules apdegumu?**
Have you got something for a cold/a cough/a sore throat/
a headache/sunburn?

Jūs varat nopirkt šīs zāles bez receptes.
You can buy this medicine without a prescription.

Šīs zāles var nopirkt tikai ar ārsta recepti.
This medicine can be obtained by prescription only.

Jums jāaiziet pie ārsta.
You have to see the doctor.

Kādās devās jālieto šīs zāles?
What is the dosage of this medicine?

Tās jālieto pa divām kapsulām četras reizes dienā.
You have to take two capsules four times a day.

22.4. SLIMNĪCĀ
AT THE HOSPITAL

celties	**diagnoze**
get up	diagnosis
['get 'ʌp]	[ˌdaɪəgˈnəʊsɪs]
dzert	**ēst**
drink	eat
[drɪŋk]	[iːt]
medicīnas māsa	**miega zāles**
nurse	sleeping pill/tablet
[nɜːs]	['sliːpɪŋpɪl/'tæblɪt]
operēt	**palikt; uzturēties**
operate	stay
['ɒpəreɪt]	[steɪ]
pastaigāties	**sāpes**
walk	pain
[wɔːk]	[peɪn]

Cik ilgi man šeit jāpaliek?
How long will I have to stay here?

Māsiņ, lūdzu, palīdziet man!
Nurse, could you help me, please?

Lūdzu, paaiciniet ārstu.   **Kad mani operēs?**
Call a doctor, please.   When's my operation?

Kad es atkal varēšu ēst/dzert/celties/iet pastaigāties?
When can I eat something/drink something/get up/go for a walk again?

Vai jūs varētu man iedot miega zāles/pretsāpju līdzekli?
Could you give me a sleeping tablet/something for the pain, please?

Lūdzu, vai jūs varētu man iedot slēdzienu par diagnozi?
Could you give me a certificate stating the diagnosis, please?

22.5. PIE ZOBĀRSTA
AT THE DENTIST'S

apakša	**augša**	**caurums** *(zobā)*
bottom	top	cavity
['bɒtəm]	[tɒp]	['kævətɪ]

kronītis	**protēze**	**plomba**
crown	denture	filling
[kraʊn]	['dentʃə]	['fɪlɪŋ]

zobs	**zobi**	**zobu sāpes**
tooth	teeth	toothache
[tu:θ]	[ti:θ]	['tu:θeɪk]

Man sāp zobs.
I've got a toothache.

Sāp šis augšējais/apakšējais/priekšējais/aizmugurējais zobs.
This tooth at the top/bottom/in the front/at the back hurts.

Man ir nolūzis zobs/kronītis.
I've broken a tooth/crown.

Šis zobs ir caurs.
This tooth has a cavity.

Ir izkritusi plomba.
The filling fell out.

Izdariet man, lūdzu, anestezējošu injekciju!
Give me an anaesthetic, please.

Vai jūs varētu salabot šo protēzi?
Could you repair this denture, please?

22.6. CILVĒKA ĶERMEŅA DAĻAS UN ORGĀNI
BODY PARTS AND HUMAN ORGANS

acs
eye
[aɪ]

āda
skin
[skɪn]

aknas
liver
[ˈlɪvə]

asinis
blood
[blʌd]

apakšstilbs
shin
[ʃɪn]

augšstilbs
thigh
[θaɪ]

auss
ear
[ɪə]

celis
knee
[niː]

deguns
nose
[nəʊz]

delna
palm
[pɑːm]

elkonis
elbow
[ˈelbəʊ]

galva
head
[hed]

gurns
hip
[hɪp]

kāja
leg
[leg]

kājas pirksts
toe
[təʊ]

kakls
neck
[nek]

kauls
bone
[bəʊn]

krūtis
breast
[brest]

krūšukurvis
chest
[tʃest]

kuņģis
stomach
[ˈstʌmək]

lāpstiņa
shoulder blade
[ˈʃəʊldəbleɪd]

locītava
joint
[dʒɔɪnt]

lūpa
lip
[lɪp]

mēle
tongue
[tʌŋ]

mugura
back
[bæk]

muskulis
muscle
[ˈmʌsl]

mute
mouth
[maʊθ]

nieres
kidneys
['kɪdnɪz]

pakausis
back of the head
['bæk əv ðə 'hed]

pēda
foot
[fʊt]

pēdas
feet
[fiːt]

piere
forehead
['fɒrɪd]

pirksts
finger
['fɪŋgə]

plakstiņš
eyelid
['aɪlɪd]

plauksta
hand
[hænd]

plaukstas locītava
wrist
[rɪst]

plaušas
lungs
[lʌŋz]

plecs
shoulder
['ʃəʊldə]

potīte
ankle
['æŋkl]

riba
rib
[rɪb]

rikle
throat
[θrəʊt]

roka
arm
[ɑːm]

seja
face
[feɪs]

sirds
heart
[hɑːt]

smadzenes
brain
[breɪn]

smaganas
gums
[gʌmz]

vēders
belly
['belɪ]

zarna
intestine
[ɪn'testɪn]

zods
chin
[tʃɪn]

žoklis
jaw
[dʒɔː]

IZKLAIDE
ENTERTAINMENT

aizmugurē
at the back
[ət ðə 'bæk]

aktieris
actor
['æktə]

balets
ballet
['bæleɪ]

bārs
bar
[bɑː]

beletāža
dress circle
[ˌdres 'sɜːkl]

ceļvedis
guide
[gaɪd]

dejot
dance
[dɑːns]

aktrise
actress
['æktrɪs]

atlaide
discount
['dɪskaʊnt]

balkons
balcony
['bælkənɪ]

beigties
end
[end]

biļete
ticket
['tɪkɪt]

cirks
circus
['sɜːkəs]

diriģents
conductor
[kən'dʌktə]

diskotēka
disco
['dɪskəʊ]

festivāls
festival
['festɪvl]

ieeja
entrance
['entrəns]

izrāde
performance
[pə'fɔ:məns]

kase
box-office
['bɒks,ɒfɪs]

kinoteātris
cinema
['sɪnəmə]

koris
choir
['kwaɪə]

naktsklubs
night club
['naɪtklʌb]

operteātris
opera house
['ɒpərəhaʊs]

popmūzika
pop music
['pɒp ,mju:zɪk]

dziedātājs(-a)
singer
['sɪŋgə]

gājiens
procession
[prə'seʃn]

izeja
exit
['eksɪt]

kamermūzika
chamber music
['tʃeɪmbə ,mju:zɪk]

kazino
casino
[kə'si:nəʊ]

koncertzāle
concert hall
['kɒnsəthɔ:l]

krogs
pub
[pʌb]

opera
opera
['ɒpərə]

parters
stalls
['stɔ:lz]

priekšā
at the front
[ət ðə 'frʌnt]

rezervēt/pasūtīt
book
[bʊk]

rītvakar
tomorrow night
[tə'mɒrəʊ ˌnaɪt]

sākties
start
[stɑːt]

sēdvieta
seat
[siːt]

skatuve
stage
[steɪdʒ]

starpbrīdis
interval
['ɪntəvl]

šīs nedēļas nogalē
this weekend
[ðɪs 'wiːkend]

šovakar
tonight
[tə'naɪt]

tautas mūzikas koncerts
folk concert
['fəʊk ˌkɒnsət]

vidū
in the middle
[ɪn ðə 'mɪdl]

teātris
theatre
['θɪətə]

Vai jums ir šīs nedēļas/mēneša izklaides ceļvedis?
Do you have this week's/month's entertainment guide?

Ko izrāda šovakar/rītvakar/šīs nedēļas nogalē kinoteātrī/teātrī/operteātrī/koncertzālē?
What's on tonight/tomorrow night/this weekend at the cinema/at the theatre/at the opera house/at the concert hall?

Mēs gribētu aiziet uz teātri/baletu.
We'd like to go to the theatre/ballet.

Kur es varu iegādāties biļetes?
Where do I get the tickets?

Cik maksā biļetes?
How much are the tickets?

Vai pensionāri var saņemt atlaidi?
Is there a discount for pensioners?

Cikos sākas izrāde/balets/festivāls/gājiens?
When does the performance/ballet/festival/procession start?

Cikos beidzas koncerts/opera/cirks?
When does the concert/opera/circus end?

Vai man jārezervē biļetes?
Do I need to book the tickets?

Vai es varētu rezervēt ... biļetes uz izrādi pulksten ...?
Could I book ... tickets for ... o'clock performance?

Vai uz šovakaru vēl ir biļetes?
Are there any tickets left for tonight?

Man ir rezervētas biļetes.	**Mani sauc ...**
I've got a reservation.	My name is ...

Mēs gribētu pasūtīt vietas parterī/balkonā/priekšā/vidū/aiz-mugurē.
We'd like to book seats in the stalls/on the balcony/at the front/in the middle/at the back.

Mēs gribētu pasūtīt vietas ložā.
We'd like to book box seats.

Divas biļetes uz šovakaru/rītvakaru.
Two tickets for tonight/tomorrow night.

Vai šeit tuvumā ir diskotēka/krogs/bārs/kazino/naktsklubs?
Is there a disco/pub/bar/casino/night club/around here?

Vai jūs vēlaties ar mani padejot?
Do you want to dance with me?

Paldies par jauko vakaru!
Thank you for the nice evening.

BĒRNI
CHILDREN

24

atrakciju parks
amusement park
[əˈmjuːzməntpɑːk]

barot
feed
[fiːd]

bērnu porcija
child's portion
[ˈtʃaɪldz ˌpɔːʃn]

bērnu gultiņa
cot
[kɒt]

ēdienkarte bērniem
children's menu
[ˈtʃɪldrənz ˌmenjuː]

istaba autiņu apmainīšanai
nappy changing room
[ˈnæpɪ ˈtʃeɪndʒɪŋ rʊm]

mazuļu ēdiens
baby food
[ˈbeɪbɪ ˌfʊd]

(cenu) atlaides bērniem
children's reduction
[ˈtʃɪldrenz rɪˌdʌkʃn]

bērns
child
[tʃaɪld]

bērnu ratiņi
pram/baby carriage (*AmE*)
[præm/ˈbeɪbɪ ˌkærɪdʒ]

bērnu ārsts (*pediatrs*)
paediatrican
[ˌpiːdɪəˈtrɪʃn]

galds autiņu apmainīšanai
changing table
[ˈtʃeɪndʒɪŋ ˌteɪbl]

mazulis
baby
[ˈbeɪbɪ]

rotaļlieta
toy
[tɔɪ]

spēļu laukums	**uzraudzīt bērnu**
playground	babysit
['pleɪgraʊnd]	['beɪbɪsɪt]

Vai jums ir bērni?
Do you have children?

Man ir divi bērni.
I have two children.

Viņam/viņai ir divi/trīs gadi.
He/she is two/three years old.

Vai šeit ir mātes un bērna istaba?
Is there a mother and baby room here?

Kur es varu pabarot savu mazuli?
Where can I feed my baby?

Vai jūs varētu man, lūdzu, uzsildīt šo pudelīti?
Could you warm this bottle up for me, please?

Vai šeit var ienākt ar bērniem?
Is it OK to bring children here?

Vai viesnīcā ir arī vēl citi bērni?
Are there any more children in the hotel?

Vai bērni var saņemt cenu atlaidi?
Is there a reduced/special price for children?

Vai jums ir ēdienkarte bērniem?
Do you have a children's menu?

Vai šeit ir spēļu laukums bērniem?
Is there an activity park/a children's playground here?

Vai šeit ir bērniem organizēti pasākumi?
Are there any organized activities for children here?

Vai jums ir zināms kāds cilvēks, kas varētu pieskatīt mūsu bērnu?
Do you know anyone who could babysit for us?

Vai jūs varētu novietot istabā bērnu gultiņu?
Could you put a cot into the room, please?

TELEFONS
TELEPHONE

25

25.1. KĀ PIEZVANĪT
USING THE PHONE

aizņemts *(numurs, līnija)*
busy/engaged
['bɪzɪ/ɪn'geɪdʒd]

izmantot/ lietot
use
[ju:z]

kods
code
[kəʊd]

maksa par minūti
the charge per minute
[ðə 'tʃɑːdʒ pə'mɪnɪt]

monēta
coin
[kɔɪn]

saruna uz izsauktās personas rēķina
reverse charge call/call collect *(AmE)*
[rɪ'vɜːs tʃɑːdʒ ˌkɔːl/'kɔːl kə,lekt]

savienot *(ar)*
put through
['pʊt 'θruː]

telefona automāts
public phone/payphone
[ˌpʌblɪk 'fəʊn/'peɪfəʊn]

telefona numurs
phone number
['fəʊn ˌnʌmbə]

papildnumurs/galvenās līnijas atzars
extension
[ɪk'stenʃn]

telefonu grāmata
phone directory
['fəʊn dɪ'rektərɪ]

telekarte
phonecard
['fəʊnkɑːd]

Starptautiskie kodi
International codes
[ˌɪntəˈnæʃnl ˌkəʊdz]

Kodi, zvanot no Latvijas:
Dialling codes from Latvia:

Apvienotā karaliste
the UK 0044

Vācija
Germany 0049

ASV
USA 001

Francija
France 0033

Kods, zvanot no ārzemēm uz Latviju, ir 00371.
Dialling code from abroad to Latvia is 00371.

(Lielbritānijā ir divu veidu telefona automāti: tādi, no kuriem var piezvanīt, izmantojot monētas, un tādi, no kuriem var piezvanīt tikai ar telekarti.

In Britain, there are two types of public phone:
• *standard payphones which take coins,*
• *phonecard payphones which take phonecards.)*

Vai šeit tuvumā ir telefona automāts?
Is there a payphone (a phone box) near here?

Kur es varu nopirkt telekarti?
Where can I get/buy a phonecard?

Lūdzu, vai es varētu izmantot jūsu telefonu?
Could I use your phone, please?

(Ja jūs nevarat samaksāt par sarunu, uzturoties Lielbritānijā, uzgrieziet 155 un palūdziet starptautisko sarunu telefonisti pasūtīt jums sarunu uz izsauktās personas rēķina.

If you cannot pay for your call, while staying in Britain, dial 155 for the UK International Operator and ask to place a 'reverse charge' call.)

Es gribētu piezvanīt uz Latviju uz izsauktās personas rēķina.
I'd like to make a reverse charge call to Latvia, please.
I'd like to call collect (*AmE*).

Cik jāmaksā par vienu minūti?
What's the charge per minute?

Lūdzu, vai jūs man varētu pateikt Latvijas kodu?
Could you tell me the country code for Latvia, please?

Vai man vispirms jāuzgriež "0"?
Do I have to dial "0" (zero) first?

Lūdzu, pārbaudiet, vai šis numurs ir pareizs!
Could you check if this number's correct, please?

Lūdzu, savienojiet mani ar ... numuru.
Could you put me through to extension ..., please!

Vai jums ir telefonu grāmata?
Do you have a phone directory?

Vai jūs man varētu pateikt, kāds ir ... telefona numurs?
Could you give me the phone number of ...?

Kāds ir tavs mājas/darba telefona numurs?
What's your home/office phone number?

Uzturoties Lielbritānijā, jums var noderēt šādi telefona numuri:

999	**Ugunsdzēsēji, policija, ātrā palīdzība** Fire, police, ambulance
192	**Uzziņas (lai noskaidrotu abonenta telefona numuru Lielbritānijā)** UK Directory Enquiries
153	**Uzziņas (lai noskaidrotu abonenta telefona numuru citā valstī)** International Directory Enquiries
155	**Starptautisko sarunu telefoniste** International Operator

▉▉ 25.2. TELEFONSARUNAS
TELEPHONE CONVERSATIONS

atbildēt uz zvanu
take a call
['teɪk ə'kɔːl]

nepareizs numurs
wrong number
[ˌrɒŋ 'nʌmbə]

nodot ziņu
give a message
['gɪv ə'mesɪdʒ]

piezvanīt
call/phone/ring
[kɔːl/fəʊn/rɪŋ]

piezvanīt vēlreiz
call back
['kɔːl 'bæk]

Hallo! Te runā Dereks.
Hello! This is Derek.

Hallo! Vai es runāju ar Tomu? Te Dereks.
Hello! Is that Tom? It's Derek.

Jā, es klausos. Kas zvana?
Yes, speaking. Who's calling?

Kas jums iedeva manu numuru?
Who gave you my number?

Hallo! Vai es varētu runāt ar Lindu/Niku?
Hello! Could I speak to Linda/Nick, please?

Vienu mirkli. Es viņu tūlīt pasaukšu.
Just a minute, I'll get her/him.

Atvainojiet, bet viņas/viņa šeit pašreiz nav.
I'm sorry she/he isn't here at the moment.

Ko man viņai/viņam pateikt?
Can I take a message?

Vai jūs nevarētu viņu palūgt man piezvanīt?
Could you ask her/him to ring/call/phone me, please?

Jā, protams.
Yes, certainly.

Es vēlāk piezvanīšu vēlreiz.
I'll call back later.

Vai es varētu runāt ar Gibsona kungu?
Could I speak to Mr Gibson, please?

Gibsonu? Atvainojiet, šeit nav neviena ar šādu uzvārdu.
Gibson? Sorry, there's nobody called Gibson here.

Vai es esmu piezvanījis uz 630558?
Is that 630558 (six three oh double five eight)?

Jūs esat piezvanījis uz nepareizu numuru.
I'm afraid you've got the wrong number.

Šeit ir 630555.
This is 630555 (six three oh double five five).

Pamēģiniet vēlreiz.
Try it again.

Atvainojiet par traucējumu.
I'm sorry to have troubled you.

Tas nekas.
That's OK.

Es nevaru sazvanīt!
I can't get through.

Mūs pārtrauca (atvienoja).
We were cut off.

Tevi aicina pie telefona.
There's a phone call for you.

Vai man ir kāds zvanījis?
Have there been any calls for me?

Hallo! Labdien, Nik! Te runā Alans.
Hello, Nick. It's Alan.

Es zvanu no Parīzes. Kā tev klājas?
I'm calling from Paris. How are you?

Labdien, Alan! Cik patīkami, ka tu man piezvanīji! Man iet labi. Kā tev?
Hello, Alan. How nice to hear from you! I'm fine, thank you. And you?

Labi.
I'm OK, thanks.

Atceries, tu teici, lai es tev piezvanu, ja es kādreiz atbrauktu uz Londonu.
You remember you said if I ever came to London to give you a call.

Es nākamajā nedēļā braukšu uz Londonu. Tikai uz dažām dienām.
I'm coming over to London next week. Just for a few days.

Vai tu neiebilstu, ja es pāris dienas paliktu pie tevis?
Would it be OK if I stayed over with you for a couple of days?

Jā, protams.
Yes, sure, no problem.

■ **LIETIŠĶA SARUNA**
BUSINESS CALL

Hallo!/Labdien! Apollo viesnīca. Kā varu jums palīdzēt?
Hello!/Good afternoon. Apollo Hotel. How can I help you?

Es gribētu runāt ar Tērnera kungu.
I'd like to speak to Mr Turner, please.

Kas, lūdzu, zvana?   **Es esmu Roberts Hopkins.**
Who's calling, please?   My name's Robert Hopkins.

Es zvanu sakarā ar rītdienas konferenci.
I'm phoning about tomorrow's conference.

Es tūlīt jūs savienošu.
I'll put you through.

Atvainojiet, līnija ir aizņemta.
I'm sorry the line is busy/engaged.

Lūdzu, uzgaidiet!
Hold on, please!

Lūdzu, nenolieciet klausuli!
Hold the line, please!

Atvainojiet, bet viņa pašreiz nav birojā.
I'm sorry but he's not in.

Vai jūs varētu viņam nodot kādu ziņu?
Could you give him a message, please?

Vai jūs varētu pateikt viņam, ka tikšanās ar Kleitona kungu notiks trešdien desmitos?
Could you tell him that the meeting with Mr Clayton will be on Wednesday at ten o'clock?

Lūdzu, vai jūs varētu uzvārdu nosaukt pa burtiem?
Could you spell the surname, please?

Jā, protams.
Yes, certainly (si: el ei wai ti: əu en).

Vai es runāju ar Hopkinsa kungu?
Is that Mr Hopkins?

Mana sekretāre teica, ka jūs man zvanījāt.
My secretary told me that you called me.

Jā, paldies, ka piezvanījāt.
Yes, thank you for calling back.

Es ļoti gribētu ar jums satikties un apspriest jauno projektu.
I'd be very interested to meet you and discuss the new project.

■ **IERAKSTI AUTOMĀTISKAJĀ ATBILDĒTĀJĀ**
ANSWER PHONE MESSAGES

Hallo! Te runā Linda. Atvainojiet, ka nevaru atbildēt uz jūsu zvanu. Ja vēlaties man kaut ko pateikt, lūdzu, runājiet pēc signāla. Paldies!
Hello! This is Linda. I'm sorry, I can't take your call at the moment, but if you'd like to leave a message, please speak after the tone. Thank you.

Atvainojiet, birojs pašreiz ir slēgts. Lūdzu, nosauciet savu vārdu un telefona numuru pēc signāla, un mēs ar jums sazināsimies, cik ātri vien iespējams.
I'm afraid the office is closed at the moment. Please leave your name and number after the tone and we'll get back to you as soon as possible.

■■■ **25.3. FAKSS UN ELEKTRONISKAIS PASTS**
FAXING AND E-MAIL

Es gribētu aizsūtīt faksu.
I'd like to send a fax.

Vai es varu no šejienes aizsūtīt faksu?
Can I send a fax from here?

Vai jums ir faksa aparāts?   **Kāds ir jūsu faksa numurs?**
Do you have a fax?   What's your fax number?

Vai jūs saņēmāt manu faksu?
Did you get my fax?

Vai jūs varētu savu faksu atsūtīt vēlreiz? Es to nevaru izlasīt.
Could you resend your fax, please? I can't read it.

Kāda ir jūsu e-pasta adrese?
What's your e-mail address?

Es gribētu izmantot e-pastu.   **Vai tu saņēmi e-pastu no manis?**
I'd like to send an e-mail.   Did you get an e-mail from me?

PASTS
POST OFFICE

26

aploksne
envelope
['envələʊp]

aviopasts
air mail
['eəmeɪl]

bandrole
printed matter
['prɪntɪd ˌmætə]

korespondence (*pasta sūtījumi*)
mail
[meɪl]

paka
parcel
['pɑːsl]

pasta indekss
post code/zip code (*AmE*)
['pəʊstkəʊd/'zɪpkəʊd]

pastkarte
postcard
['pəʊstkɑːd]

pastmarka
stamp
[stæmp]

pēc pieprasījuma
poste restante
[ˌpəʊst 'restɒnt]

sīkpaka
packet
['pækɪt]

vēstule
letter
['letə]

vēstuļu kastīte
letterbox/mailbox (*AmE*)
['letəbɒks/'meilbɒks]

Kur var nopirkt pastmarkas/aploksnes?
Where can I get stamps/envelopes?

Kur atrodas tuvākais pasts/vēstuļu kastīte?
Where's the nearest post office/letterbox?

Kur atrodas galvenais pasts?
Where's the main post office?

Vai man ir pienākuši pasta sūtījumi?
Is there any mail for me?

Mani sauc ...
My name is ...

Cik maksā vēstules/pastkartes nosūtīšana uz Latviju?
How much is the postage for a letter/postcard to Latvia?

Iedodiet man, lūdzu, divas markas par 24 pensiem.
I'd like two twenty-four pence stamps, please.

Es vēlos nosūtīt ierakstītu vēstuli.
I'd like to send a registered letter.

Es gribētu nosūtīt šo paku uz Latviju ar parasto pastu/aviopastu.
I'd like to send this parcel to Latvia by ordinary post/by airmail.

Cik ilgā laikā paka nonāks Spānijā?
How long does a parcel to Spain take?

ĀRKĀRTĒJAS SITUĀCIJAS
EMERGENCIES

27

ārkārtēja situācija
emergency
[ɪˈmɜːdʒənsɪ]

ātrā palīdzība
ambulance
[ˈæmbjʊləns]

izsaukt policiju
call the police
[ˈkɔːl ðə pəˈliːs]

ugunsdzēsēji
fire brigade
[ˈfaɪə brɪˈɡeɪd]

ugunsgrēks
fire
[faɪə]

ugunsdzēšanas aparāts
fire extinguisher
[ˈfaɪər ɪkˌstɪŋɡwɪʃə]

Palīgā!	**Ugunsgrēks!**	**Policiju!**	**Ātri!**
Help!	Fire!	Police!	Quick!
[help]	[faɪə]	[pəˈliːs]	[kwɪk]

Stāt!	**Uzmanieties!**	**Bīstami!**	**Sargieties!**
Stop!	Be careful!	Danger!	Watch out!
[stɒp]	[ˌbiːˈkeəfʊl]	[ˈdeɪndʒə]	[ˈwɒtʃ ˈaʊt]

Izsauciet policiju!
Call the police!
[ˈkɔːl ðə pəˈliːs]

Izsauciet ātro palīdzību!
Call an ambulance!
[ˈkɔːl ən ˈæmbjʊləns]

Izsauciet ugunsdzēsējus!
Call the fire brigade!
[ˈkɔːl ðə ˈfaɪə brɪˌɡeɪd]

Kur ir tuvākais tālrunis?
Where's the nearest phone?
[ˈweəz ðə nɪərɪst ˈfəʊn]

Kur ir rezerves izeja?
Where's the emergency exit/fire escape?
['weəz ðɪ ɪ'mɜːdʒənsɪ 'eksɪt/'faɪər ɪ,skeɪp]

Kur ir ugunsdzēšanas aparāts?
Where's the fire extinguisher?
['weəz ðə 'faɪər ɪk,stɪŋgwɪʃə]

Vai drīkst izmantot jūsu tālruni?
Could I use your phone?
[kʊd aɪ 'juːz jɔː 'fəʊn]

Kāds ir neatliekamās palīdzības numurs?
What's the emergency number?
['wɒts ðɪ ɪ'mɜːdʒənsɪ 'nʌmbə]

Pa kādu numuru var piezvanīt policijai?
What's the number for the police?
['wɒts ðə 'nʌmbə fə ðə pə'liːs]

Kur ir policijas iecirknis?
Where's the police station?
['weəz ðə pə'liːs ,steɪʃn]

Ķeriet zagli!
Stop that thief!
[stɒp ðæt 'θiːf]

NELAIMES GADĪJUMI
ACCIDENTS

28

apdrošināšana
insurance
[ɪnˈʃʊərəns]

apdrošināts
insured
[ɪnˈʃʊəd]

ievainots
injured/hurt
[ˈɪndʒəd/hɜːt]

liecinieks
witness
[ˈwɪtnəs]

Ir noticis nelaimes gadījums.
There's been an accident.
[ðeəz bɪn ənˈæksɪdənt]

Vai kāds ir cietis/ievainots?
Is anyone hurt/injured?
[ˈɪz eniwʌn ˈhɜːt/ˈɪndʒəd]

Daži cilvēki ir ievainoti.
Some people have been injured.
[sʌm ˈpiːpl həv bɪn ˈɪndʒəd]

Neviens nav cietis/ievainots.
No one's been hurt/injured.
[ˈnəʊwʌnz bɪn ˈhɜːt/ˈɪndʒəd]

Automašīnā vēl kāds ir.
There's someone in the car still.
[ðeəz ˈsʌmwʌn ɪn ðə ˈkɑː stɪl]

Atstājiet visu kā ir, lūdzu.
Leave everything the way it is, please.
[ˈliːv ˈevrɪθɪŋ ðə ˈweɪ ɪt ˈɪz ˈpliːz]

Es vispirms gribu runāt ar policiju.
I want to talk to the police first.
[aɪ ˈwɒnt tə ˈtɔːk tə ðə pəˈliːs ˈfɜːst]

Vai jūs esat apdrošināts?
Are you insured?
['ɑː jʊ ɪn'ʃʊəd]

Vai jūs piekrītat būt par liecinieku?
Will you act as a witness?
[wɪl jʊ 'ækt əz ə'wɪtnəs]

Lūdzu, pasakiet savu uzvārdu un adresi!
Could I have your name and address, please?
[kʊd aɪ həv jɔː 'neɪm ənd ə'dres 'pliːz]

POLICIJAS IECIRKNĪ
AT THE POLICE STATION

29

aplaupīt
rob/mug
[rɒb/mʌg]

aprakstit
describe
[dɪ'skraɪb]

izvarot
rape
[reɪp]

kabatas portfelis
wallet
['wɒlɪt]

naudas maks
purse
[pɜːs]

negadījums
incident
['ɪnsɪdənt]

notikt
happen
['hæpən]

nozagt
steal
[stiːl]

tulks
interpreter
[ɪn'tɜːprɪtə]

uzbrucējs
attacker
[ə'tækə]

zādzība
theft
[θeft]

zaglis
thief
[θiːf]

ziņot par zādzību
report a theft
[rɪ'pɔːt ə'θeft]

Es gribu ziņot par zādzību/izvarošanu.
I want to report a theft/a rape.
[aɪ 'wɒnt tə rɪ'pɔːt ə'θeft/'reɪp]

Man ir vajadzīgs tulks.
I need an interpreter.
[aɪ 'niːd ən ɪn'tɜːprɪtə]

Kur/kad šis negadījums notika?
Where/when did the incident happen?
['weə/'wen dɪd ðɪ 'ɪnsɪdənt 'hæpən]

Vai jūs bijāt viens pats?
Were you alone?
['wɜː jʊ ə'ləʊn]

Vai jums ir liecinieki?
Are there any witnesses?
['ɑː ðeə enɪ 'wɪtnəsɪz]

Vai jums ir viņu uzvārdi un adreses?
Did you get their names and addresses?
[dɪd jʊ 'get ðeə 'neɪmz ənd ə'dresɪz]

Vai jūs tikāt ievainots?
Were you in any way injured?
['weə jʊ ɪn enɪ weɪ 'ɪndʒəd]

Vai jūs bijāt pie ārsta?
Have you been to a doctor?
[həv jʊ biːn tə ə 'dɒktə]

Vai jūs varat aprakstīt uzbrucēju?
Can you describe your attacker?
[kən jʊ dɪ'skraɪb jɔː ə'tækə]

Vīrietis vai sieviete?
Male or female?
['meɪl ɔː 'fiːmeɪl]

Cik garš(-a)?
How tall?
[,haʊ 'tɔːl]

Tumši vai gaiši mati?
Dark or fair hair?
['dɑːk ɔː 'feə 'heə]

Acu krāsa?
Colour of eyes?
['kʌlə əv 'aɪz]

Es pazaudēju savu fotoaparātu.
I've lost my camera.
[aɪv 'lɒst maɪ 'kæmərə]

Kur jūs to pazaudējāt?
Where did you lose it?
['weə dɪd jʊ 'luːz ɪt]

Kad tas bija?
When was it?
['wen wəz ɪt]

Vai tas bija apdrošināts?
Was it insured?
['wɒz ɪt ɪn'ʃʊəd]

Cik tas maksāja?
How much did it cost?
[ˌhaʊ 'mʌtʃ dɪd ɪt 'kɒst]

Kādas markas fotoaparāts tas bija?
What make was it?
['wɒt 'meɪk wəz ɪt]

Vai jūs varat to aprakstīt?
Can you describe it?
[kən jʊ dɪ'skraɪb ɪt]

Vai tam ir kādas īpašas pazīmes?
Does it have any special marks on it?
[dʌz ɪt həv enɪ 'speʃl 'mɑːrks ɒn ɪt]

NEPATIKŠANAS
(30) IN TROUBLE

ātrums
speed
[spiːd]

nav atļauts
not allowed
[nɒt əˈlaʊd]

nokavēt
miss
[mɪs]

pārsniegt ātrumu
speed
[spiːd]

sazināties
contact
[ˈkɒntækt]

pazaudēt
lose
[luːz]

sods
fine
[faɪn]

vēstniecība
embassy
[ˈembəsɪ]

zīme
sign
[saɪn]

Palīdziet!
Help!
[help]

Vai jūs varat man palīdzēt?
Can you help me?
[kən jʊ ˈhelp mɪ]

Es nerunāju angliski.
I don't speak English.
[aɪ dəʊnt ˈspiːk ˈɪŋglɪʃ]

Es esmu apmaldījies(-usies).
I'm lost.
[aɪm ˈlɒst]

Man jānokļūst līdz...
I need to get to...
[aɪ 'niːd tə 'get tə]

Kā lai es nokļūstu līdz...?
How do I get to...?
['haʊ dʊ aɪ get tə]

Es nokavēju lidmašīnu/vilcienu/pārsēšanos
(*uz citu transporta līdzekli*).
I've missed my plane/train/connection.
[aɪv 'mɪst maɪ 'pleɪn/'treɪn/kɒ'nekʃn]

Es pazaudēju naudu/pasi/ceļasomu.
I've lost my money/passport/suitcase.
[aɪv 'lɒst maɪ 'mʌnɪ/'pɑːspɔːt/'suːtkeɪs]

Jūsu automašīna ir novietota neatļautā vietā.
You're not allowed to park here.
[jʊə nɒt ə'laʊd tə 'pɑːk hɪə]

Jūs braucāt ar neatļautu ātrumu.
You were speeding.
[jʊ wə 'spiːdɪŋ]

Es braucu tikai ar ātrumu ... kilometru stundā.
I was only doing ... kilometres an hour.
[aɪ wəz əʊnlɪ 'dʊɪŋ ... 'kɪləʊˌmiːtəz ən ˌaʊə]

Es nezināju, ka tā nedrīkst darīt.
I didn't realise I was doing anything wrong.
[aɪ dɪdnt 'rɪəlaɪz aɪ wəz 'dʊɪŋ enɪθɪŋ 'rɒŋ]

Es neredzēju zīmi.
I didn't see the sign.
[aɪ dɪdnt 'siː ðə 'saɪn]

Jums būs jāmaksā soda nauda.
You will have to pay a fine.
[jʊ wɪl həv tə 'peɪ ə 'faɪn]

Cik liela ir soda nauda?
How much is the fine?
[ˌhaʊ 'mʌtʃ ɪz ðə 'faɪn]

Vai jūs varat to samaksāt tūlīt?
Can you pay it on the spot?
[kən jʊ 'peɪ ɪt ɒn ðə 'spɒt]

Es gribētu piezvanīt uz savu vēstniecību/konsulātu.
I'd like to phone my embassy/consulate.
[aɪd laɪk tə 'fəʊn maɪ 'embəsɪ/'kɒnsjʊlət]

PIELIKUMS
APPENDIX

▎ PRIEVĀRDI
PREPOSITIONS

aiz	**ap**	**ar**
behind	around	with
[bɪ'haɪnd]	[ə'raʊnd]	[wɪð]
ārpusē	**augšā/augšstāvā**	**bez**
outside	up/upstairs	without
[ˌaʊt'saɪd]	[ʌp/ˌʌp'steəz]	[wɪ'ðaʊt]
blakus/pie	**caur**	**iekšā**
by	through	in
[baɪ]	['θruː]	[ɪn]
iekšpusē	**lejā/apakšstāvā**	**līdz**
inside	down/downstairs	until
[ˌɪn'saɪd]	[daʊn/ˌdaʊn'steəz]	[ən'tɪl]
no	**pēc**	**pirms**
from/out of	after	before
[frɒm/'aʊt əv]	['ɑːftə]	[bɪ'fɔː]
virs	**uz**	
over/ above	on/to *(norādot virzienu)*	
['əʊvə/ə'bʌv]	[ɒn/tʊ]	

▰ PAMATA SKAITĻA VĀRDI
CARDINAL NUMBERS

nulle
0 zero/nought
['zɪərəʊ/nɔːt]

viens
1 one
[wʌn]

divi
2 two
[tuː]

trīs
3 three
[θriː]

četri
4 four
[fɔː]

pieci
5 five
[faɪv]

seši
6 six
[sɪks]

septiņi
7 seven
['sevn]

astoņi
8 eight
[eɪt]

deviņi
9 nine
[naɪn]

desmit
10 ten
[ten]

vienpadsmit
11 eleven
[ɪ'levn]

divpadsmit
12 twelve
[twelv]

trispadsmit
13 thirteen
[ˌθɜː'tiːn]

četrpadsmit
14 fourteen
[ˌfɔː'tiːn]

piecpadsmit
15 fifteen
[ˌfɪf'tiːn]

sešpadsmit
16 sixteen
[ˌsɪk'stiːn]

septiņpadsmit
17 seventeen
[ˌsevn'tiːn]

astoņpadsmit
18 eighteen
[ˌeɪ'tiːn]

deviņpadsmit
19 nineteen
[ˌnaɪn'tiːn]

divdesmit
20 twenty
['twentɪ]

divdesmit viens
21 twenty-one
[ˌtwentɪ'wʌn]

trīsdesmit
30 thirty
['θɜːtɪ]

četrdesmit
40 forty
['fɔːtɪ]

piecdesmit
50 fifty
['fɪftɪ]

sešdesmit
60 sixty
['sɪkstɪ]

septiņdesmit
70 seventy
['sevntɪ]

astoņdesmit	deviņdesmit	simts
80 eighty	90 ninety	100 a hundred
['eɪtɪ]	['naɪntɪ]	[ə'hʌndrəd]

simt viens	divi simti/divsimt
101 a hundred and one	200 two hundred
[ə'hʌndrəd ənd 'wʌn]	['tu: 'hʌndrəd]

trīs simti/trīssimt	tūkstotis/tūkstoš
300 three hundred	1,000 a thousand
['θri: 'hʌndrəd]	[ə'θaʊzənd]

divi tūkstoši	desmit tūkstoši
2,000 two thousand	10,000 ten thousand
['tu: 'θaʊzənd]	['ten 'θaʊzənd]

divpadsmit tūkstoši pieci simti sešdesmit četri
12,564 twelve thousand, five hundred and sixty-four
['twelv 'θaʊzənd 'faɪv 'hʌndrəd ənd 'sɪkstɪ 'fɔ:]

simt tūkstoši	miljons
100,000 a hundred thousand	1,000,000 a million
[ə'hʌndrəd 'θaʊzənd]	[ə'mɪljən]

▰▰ KĀRTAS SKAITĻA VĀRDI
ORDINAL NUMBERS

pirmais	ceturtais	septītais
(1st) first	(4th) fourth	(7th) seventh
[fɜ:st]	[fɔ:θ]	['sevnθ]

(otrais	piektais	astotais
(2nd) second	(5th) fifth	(8th) eighth
['sekənd]	[fɪfθ]	[eɪtθ]

trešais	sestais	devītais
(3rd) third	(6th) sixth	(9th) ninth
[θɜ:d]	[sɪksθ]	[naɪnθ]

desmitais	**vienpadsmitais**	**simtais**
(10th) tenth	(11th) eleventh	(100th) hundredth
[tenθ]	[ɪ'levnθ]	['hʌndrədθ]
vienreiz	**divreiz**	**trisreiz**
once	twice	three times
[wʌns]	[twaɪs]	['θri: 'taɪmz]

■ DAĻSKAITĻI
FRACTIONS

1/2 puse
a half
[ə'hɑːf]

3/4 trīs ceturtdaļas
three quarters
['θri: 'kwɔːtəz]

1/3 trešdaļa
one third/a third
[ə'θɜːd]

11/2 pusotra
one and a half
['wʌn ənd ə'hɑːf]

1/4 ceturtdaļa
one quarter/a quarter
[ə'kwɔːtə]

■ DECIMĀLDAĻSKAITĻI
DECIMALS

0,5 nulle komats pieci
0.5 nought point five/ point five/zero point five (*AmE*)
['nɔːt pɔɪnt 'faɪv/,pɔɪnt 'faɪv/'zɪərəʊ pɔɪnt 'faɪv]

4,75
4.75 four point seven five
['fɔː pɔɪnt 'sevn 'faɪv]

PROCENTI
PER CENT

1 procents, 2 procenti
1 per cent, 2 per cent
[pə'sent]

MĒRVIENĪBAS
UNITS OF MEASUREMENT

TILPUMS
CAPACITY

1 pinte = 0,568 litri
1 pint = 0.568 litres
[paɪnt]   ['li:təz]

1 galons = 4,54 l *(3,78 ASV)*
1 gallon = 4.54 l *(3.78 in the USA)*

SVARS
WEIGHT

1 unce = 28,35 grami
1 ounce (oz) = 28.35 grams
[aʊns]   [græmz]

1 mārciņa = 0,454 kilogrami
1 pound (lb) = 0.454 kilograms
[paʊnd]   ['kɪləgræmz]

GARUMS
LENGTH

1 colla = 2,54 centimetri
1 inch = 2.54 centimetres
[ɪntʃ]   ['sentɪ,mi:təz]

1 jards = 91,44 centimetri
1 yard = 91.44 centimetres
[jɑːd]   ['sentɪ,mi:təz]

1 pēda = 30,48 centimetri
1 foot = 30.48 centimetres
[fʊt]   ['sentɪ,mi:təz]

1 jūdze = 1,609 kilometri
1 mile = 1.609 kilometres
[maɪl]   ['kɪləʊ,mi:təz]

PIEZĪMES
NOTES

Līdz. — 75 lpp.

PIEZĪMES
NOTES

PIEZĪMES
NOTES

PIEZĪMES
NOTES